Dan Andersson • Samlade dikter

DAN ANDERSSON

Samlade dikter

Visor och Ballader

KOLVAKTARENS VISOR • DIKTERNA I DET KALLAS VIDSKEPELSE • SVARTA BALLADER EFTERLÄMNADE DIKTER

Dikter

Wahlström & Widstrand Stockholm

Omslag av Per Åhlin
ISBN 91-46-14774-8

Tryckt i England av Cox & Wyman Ltd. 1984

INNEHÅLL

KOLVAKTARENS VISOR

Visa vid kolvakten 11 Kolvaktaren 12 Gengångare 13
Pajso 14 Benkvarnen 15 I timmerkojan på Sami 16
Den gamle 17 Döden 18 En svanesång 19 Du liv 20
Gunnar Vägman 20 Jag väntar 21 Till kvinnan 22
Min väg 23 Till Astrid Dolores vid skilsmässan 24
Botgöraren 25 Sizzi 26 Onda tankar 27
Gässen flytta 28 Visa, tillägnad all ömklighet 28
Sista natten i Paindalen 29 Vårkänning 33
Jöns Lekares kvinnor 35 Tal till Jonathan 36
Helgdagskväll i timmerkojan 37 När Gasken dog 38
Tjuvskytten 40 Hemlängtan 42 Den sista sången 43

UR DET KALLAS VIDSKEPELSE

Företal 47 Spådomen om varma källorna 48
En landstrykares morgonsång till solen 49
Olles förbund med makterna 50

SVARTA BALLADER

Omkring tiggarn från Luossa 55
En spelmans jordafärd 56 Spelmannen 58
Karis-Janken 59 Tiggar-Stinas middagssång 62
Jägarnas vaggsång 65 Ung Harald 66
Tiggaren Simons sång 67 Hemlös 70 Visa 71
Vaknatt 72 När mor dog 72
En strof till Huck Finns minne 73 Minnet 73
Till min syster 74 En gamling 75 Syner 77
Predikaren 80 Fången 81
Den druckne matrosens sång 82 Vår döde vän 85
Purgatorium 86 Angelika 89
Kvarnsången: I Spinnerskan 92 II Kvarnsången 93
En tröstesam visa till idealisten och läraren Angelman 98
Jag har drömt . . . 99 Vaggsången vid Kestina 101
Gillet på vinden 108

EFTERLÄMNADE DIKTER

Till min längtan 113 På havet 114
Sång till västanvinden 115 En ballad till mor 116
Till min far 118 Över gränsen 119 Bekännelse 120
Vandraren 123 Julvisa i Finnmarken 125
En visa till fiol 126 Ett rus 127
Avskedssång till Finnmarksskalden broder Joachim 128
Jungman Jansson 129 På färdvägarna 130
Minnet 132 Snöharpan 135 Höstmelodi 138
Hymn 139 Kopparskålen 140 En vaknatt 141
Till kärleken 143 En ung fader talar 144
Till smärtan 144 Jag sjungit... 144 Epilog 145
Nu mörknar min väg... 145 Jag önskar... 146
Min broder, jag vet... 147 Barndom 148
Ett skaldeförsök 149 Kom, lyssna... 149
Två dikter 150 Vaggvisa 151 Generalen 152
Inferno 153 Kroginteriör 154 Sång till min lykta 155
Visan om hur Per Ols Per Erik älskade med en platonisk kärlek 156 Stora, stolta kärlek 157 Brännmors visa 157
Till min vän konstnären Martin Åberg 157
Ett dagboksblad 160 Nattvandrare 160
En visa i tacknämelighet 162 I dag klev jag opp... 163
Memento mori 163 Har du tänkt på... 164
Jag har mod... 165 En väg... 165
O, du min faders borg... 166 Underligt det är... 166
Kväde över en vän som tog sitt liv ung 167 Namnet 167
En midsommarvisa 167 Den hemlöse 168
Ur gossens hjärta... 172 Högt bland bergen... 173
Till en gammal man 173 Och nu var det natt... 174
Välkommen, o vår! 174 O, Krishna... 174
Midsommarsol 175 Morgonväkt 175
En liten visa 176 Från klippans krön... 177

DIKTER

Hos den äldste förläggaren 181 Om aftonen 183
Stjärna 183 Kung Brännvin 186 Jan från Tuna 188
Per Ols Per Erik 189 Per Ols Per Erik: II 190
En svart ballad 192 Den röda rosen 194
Krigssång 195 Torpedsången 196 Som liten... 198
Milrök I 199 Milrök: II 200 Buddha 200 Åska 201
Hades 204 Å, broder nu... 205 Pessimism 207
Frestaren 208 Nyår 209 Den dömde 209 Margit 210
En visa i ensamhet 211 Jag har mött min huldra... 212
Strid och vår 213 Krig 213 Postvagnen 214
Natt 215 Spelmans mor 216 En gammal kolare 217
Branden 218 En ungdomlig visa 219 Handling 220
Till dem som tänkte tanken om borgargardet 221
Visa om förr och nu 223 En dåres syn 224 Nyår 224
Maskinrummets män 225 Briggen San Antonius 227
Dryckesvisa med kristidsrefräng 228
En skön sång om potatis 230 Andens skara 231
Kväde 232 Kålrotens förmaningstal 233 Kväde 234
Kväde 235 Kväde 236 Kväde 238 Kväde 239
Kväde 240 Kväde 240 En morgondröm 242
Likpredikan 243 En vårvisa 245
En sommarpsalm i skördetid 245 Jag är... 246
Sång till våren 247
Vårvisa Till min broder Joakim i Göteborg 249
Canadaminnen 249

KOLVAKTARENS VISOR

VISA VID KOLVAKTEN.

(Mårdberget 14 december 1913.)

Svart smyger natten kring stenströdda land –
somna ej, somna icke in!
Om du somnar kan du väckas av en helvetesbrand
och den brödlöses sorg skall bli din.

Kring rider vinden, klagande, kall,
bitande, stickande hård.
Hän över trädlösa vidder kör i vall
härjaren från Rolösa gård.

Här vid din brandeld är han from som ett lamm,
bits ej, rivs ej en gång.
Mumlar och viskar och smeker sig fram –
vaggvisemild är hans sång.

Lyssna ej till sången, värna ditt bröd,
väktare, tills vakten du gjort!
Snart stiger solen i blodglans röd
ur de östliga skogarnas port.

Då får du glömma din ödemarksnöd –
somna ej, somna icke förr!
Då får du sova och drömma dig död
bakom kolkojans sotiga dörr.

KOLVAKTAREN.

Tåligt, manligt vakande,
kärlig sömn försakande
vakt vid kolen satt.
Spröda, hårda händerna
röra lamt i bränderna,
som gnistrande och glödande,
av röda flammor flödande,
ge ljus åt snårens natt.

Röken kväljer kvävande,
nät av ångor vävande,
het och stark och frän.
Kolen kallna klingande,
knäppande och ringande,
i höga svarta hoparna
vid askbeströdda groparna
emellan frusna trän.

Långa äro stunderna
långt i ödelunderna,
mil från folk och hus.
Rävarna gå jagande,
skallen gnälla klagande
som hungergråt från skogarna
och hagarna och slogarna
och frusna hedars grus.

Glatt från gula lågorna
flyta värmevågorna
mot mitt breda bröst.
Flammorna gå lekande
skänka kärligt smekande
värme åt en frysande

och med glädje lysande
sken till ögontröst.

Snart är morgon gryende,
då gå jättar flyende
ned till Hanga hed.
Där är lugnt bland enarna,
där är bon i stenarna
där bli trollen räddade,
i djupa gömslen bäddade,
vid aldrig vandrad led.

GENGÅNGARE.

Är du ensam vid din mila i din koja i kväll,
håll öppen, håll öppen din dörr!
Under glittrande stjärnor över snötäckta fjäll
komma vi, komma vi som förr.

Vi ha sovit redan länge i vår kyrkogårdsvrå
och vilat våra gammalmansben –
vi ha vaknat för att skönja om himlen är blå,
för att värma oss i månens sken.

Under stjärnornas ögon må vi samlas till ting
medan nordvinden härjar hård,
må vi bänka oss ned i en domarering
på din fridlysta kolaregård.

Ty vi vandra, vi vandra och hava ej ro
i de gravar som svälten har grävt,
och fast friden var djup i vårt jordbyggda bo,
vårt hat har den aldrig kvävt.

Och vårt hat är ett vandrande dödmanshat
som skall spöka tiderna ut,
och vår sorg är en tårlös sorg, kamrat,
och vår jämmer är utan slut.

Men ve oss, för sent ha vi gått ur vår grav
för att krämares domare bli –
de män som skuro vår plågas stav
äro döda och vandra som vi.

PAJSO.

Du åldriga Pajso,
som leker så ystert
bland fallande dammar
och rännor som brista,
du sjunger väl ännu
din ödemarks sånger
när böljorna runor
i hällarna rista.

Du sjunger väl ännu,
som förr du har sjungit
i tvåmilaskogar
och sandiga dalar,
din ensamma färdsång
för den som förstår dig
och tigande lyssnar
när vildmarken talar.

Du hastat från bergen
och letat dig vägar
i ödemarksnätter
och solvarma dagar.

Du vilat i timmar
vid slumrande tjärnar,
och badat i solljus
i vårgröna hagar.

En hymn för din frihet,
en sång åt din ära,
du åldriga Pajso,
jag sjunger i natten,
när uvarna ropa
av brånad och hunger,
och granarna nicka
vid sorlande vatten.

BENKVARNEN.

Det står ett gammalt ruckel vid Hattmomarjaån
det lägsta och simplaste på orten,
dit vandra hundra hästar och karlar fjärranfrån,
och välta sina benlass i porten.

Och mjölnaren är gammal och vet vad han vill,
och tröttnar väl aldrig att mala –
när han vilar sig då lyssnar han leende till
hur de dansande stenarna tala.

Och han säger att när stenarna dansa över ben,
som ha slutat att hoppa eller springa,
så sjunga de, så klinga de som klockor av sten,
till en ärofull begravning de ringa.

Och han säger att hans kvarn är som människans liv:
Ett evinnerligt snoende öde,

och att kugghjulens gnissel likna trätor och kiv,
men att benmjölet liknar de döde.

Ty det lägger sig att sova när vandringen är slut –
det sparkar ej mera eller hoppar;
av det spröda och hårda som funnits förut
finns blott snövita, stoftfina kroppar.

Och om somliga gå ut till en darrande dans,
till den sista och gladaste av alla,
om de skimra som pärlstoft i aftonens glans,
så tröttna de dock snarligt och falla.

Kanske stundar det uppståndelse till kommande vår?
Kanske spelar det och viskar i träden?
Det som dog för en vecka sen och maldes i går,
kanske gungar det till nästårs i säden?

Men stenarna gå evigt sin gnisslande gång,
och dammet bolmar skyhögt i porten,
och mjölnaren säger att benkvarnens sång,
är den gladaste som sjungits på orten.

I TIMMERKOJAN PÅ SAMI.

Lustigt är vid elden i becksvart natt,
när vindar genom takhålet blåsa
och gripa de hoppande lågorna fatt,
medan skogarna mumla och flåsa.

Kölden går på smyg kring jordklädd knut
och letar sig in för att bita;
hittar nog in – när elden brunnit ut
kläder frosten väggarna vita.

Tunga av vår möda, i trofast lag,
vid flämtet från torrvedsstumpar
tills kölden går på väckning, långt före dag,
vi sova på risklädda klumpar.

Hård var den lott vi dömdes att få –
målet – det må Herren förklara!
Dimmor som driva och moln som gå,
ingen kan säga vart de fara.

Ammat i de fattigaste skogarnas famn
rått blev vårt liv, och mulet.
Män utan vänner, folk utan namn,
gnisslande kuggar i hjulet.

Aldrig må vi kalla vårt öde hårt,
vi som äga värme och föda!
Många äro utan och hava det svårt –
fridsammast hava de döda.

DEN GAMLE.

Ur de djupaste djupen jag kämpat mig hit,
se, jag kom från de eländas ort,
och vad undrar du då att min hjässa är vit
när en sådan vandring jag gjort?

Och vad undrar du väl att den skälver min röst?
Det var annat i visornas år.
Jag har levat ändå, vare detta min tröst
när att glömma jag äntligen går.

Den skall sluta att stappla, min styvnade fot,
och mitt hjärta skall sluta att slå. –

På min grav skola vildmarkens blommor slå rot
medan dagarna komma och gå.

DÖDEN.

Långt från bygden, i storskogens innersta gömma,
i min koja på Sami, vid de mörknande glöden,
har jag mött den starkaste, talat med döden,
och han kom för att lära mig vila och glömma.

Och jag sade till honom: – ”Du de sovandes broder,
du må kalla dig stark, du må komma och fara,
du är dröm, du är rök, ett begrepp är du bara,
och en trött mans tanke är din skröpliga moder.

Och är du det icke, vill jag bedja dig svara
på din egen och livets pockande gåta:
varför intet blir sanning, varför människor gråta,
varför starka och unga till graven fara?”

Och hans tal var som ängarnas lenaste honung
och hans ord voro sövande, starka och tunga,
som när asplöv till avsked om höstarna sjunga
hördes talet från nätternas vandrande konung.

”Du stirrar mot jorden, som gömmer och söver
och den är det djupaste, största och sista
och en gång när ögonen frågande brista
är jorden det svarta svar du behöver.”

*

I min koja på Sami, vid min slocknade pipa
som en drömmare hörde jag gravmannen tala,

och när allt blivit intet kan han ensam hugsvala,
då är lätt att hans sövande sanning begripa.

EN SVANESÅNG.

Jag står vid vägens sista, höga grindar,
och kring mig blåsa kvällens svala vindar,
och innan solen purpurröd gått ner,
jag hunnit upp min längtans högkvarter.

Jag ser på livet som på sländors vimmel,
inunder sommardagens höga himmel,
och längtar att vid dagens skumma slut
få falla i det stora mörkret ut.

Mitt liv, min kraft jag gav åt blodets strider,
och tackar glatt för gångna kämpatider,
för alla heta slag på solbränt grus,
och segerfesters jubeldränkta rus.

Jag hör en storm som går på vingar tunga,
och midnattsåskans vita blixtar ljunga.
Hell, tordön, hell! Jag svänger högt min hatt,
och hälsar livets svala avskedsnatt.

Nu stundar fest, nu varslar uppbrottstimma,
då fri och frälst jag upphör att förnimma,
och stiger i det namnlöst mörka ner –
och jublar, faller, ler och finns ej mer.

DU LIV ...

Du liv, vad du ändå är ensamt armt,
mot den dröm vi drömde om dig!
Och dock ha vi älskande ärligt och varmt
sått rosor vid villande stig.

Sått rosor, sått med vår bäste vän,
att vattnas av dalarnas dagg –
men gingo en höstdag den vägen igen
och blödde av nässlor och tagg.

Du liv, vad du ändå är ensamt långt,
när du växer i skuggat ljus!
När knopparna torka och hava det trångt
bland kullar av sollöst grus.

Du sjunger oss sånger att sorg är kort,
låtsar trösta när sol går ner –
men hav dina visors buller bort,
jag orkar ej höra dem mer!

Här somnar en man från sitt eget ve,
här slutar ett djur sin strid –
du liv, det var allt du hade att ge
och detta är dödens frid.

GUNNAR VÄGMAN.

Jag har sett honom sitta bland unga
invid dörren på hemgjord stol.
Jag har hört Gunnar Vägman sjunga
till sin gnälliga gamla fiol.

Jag kan minnas den reslige finnen,
och hans blick under buskiga bryn,
när han drog sina fagraste minnen
från sin ungdom i Mattina-byn.

Det var skämtsamma låtar från logen
och visor han själv hade smitt –
han var gammal som bygden och skogen,
och hans hår var glesnat och vitt.

*

Har du lyssnat när topparna gunga
i förhöststormarnas sus?
Eller hört Gunnar Vägman sjunga,
som han sjöng när han fått sig ett rus?

JAG VÄNTAR ...

Jag väntar vid min stockeld medan timmarna skrida,
medan stjärnorna vandra och nätterna gå.
Jag väntar på en kvinna från färdvägar vida –
den käraste, den käraste med ögon blå.

Jag tänkt mig en vandrande snöhöljd blomma,
och drömde om ett skälvande, gäckande skratt,
jag trodde jag såg den mest älskade komma
genom skogen, över hedarna en snötung natt.

Glatt ville jag min drömda på händerna bära
genom snåren dit bort där min koja står,
och höja ett jublande rop mot den kära:
Välkommen du, som väntats i ensamma år!

Jag väntar vid min mila medan timmarna lida
medan skogarna sjunga och skyarna gå.
Jag väntar på en vandrerska från färdvägar vida –
den käraste, den käraste med ögon blå.

TILL KVINNAN.

Jag ville vi kunde mötas, du och jag,
i glans av solsken och röda rosor en sommardag!
Till jordens ära skulle vi sjunga en hög sång
om allt som i varandet växer och sist dör en gång.

Den sången skulle vi lära, du och jag,
av livet, när självt det sig formar med kraft, med lag,
och kallar allt format till hård, sträv strid,
och till lön för stridandet bjuder bortdöendets frid.

All marken som rör sig och myllrar av livslångt kiv,
och bin som surra och blad som svälla av liv, av liv,
de skola sjunga i takt med oss och sjunga som vi,
och sjunga med oss det levandes visa, hög, fri.

I sången skulle vi leva stort, glatt,
förutan hopp och förutan fruktan för död och natt,
med fröjd skulle vi träda en lätt dans
vid spel av himmelens vindar i röd aftonglans.

Och sedan, sedan falla vi tätt till jorden ned,
som gräs när höstens frost går härjande vred,
och över oss skulle livet sjunga en hög sång,
men vi skulle evigt glömma att vi levt en gång.

MIN VÄG ...

Min väg ligger ut genom Hagberga grind,
och där skall jag möta en kvinna. –
Från Torsmyren irrar en hård vind –
stjärnorna, stjärnorna brinna!

Min kvinna! Du är nog en snara!
Du är stark, du är mognad och fin,
och mitt heta blod det må vara
mitt eländes skummande vin.

Vad allt kan väl hända oss bägge i natt?
Oss, törstiga, hungrande själar!
Under tumlande rus och små virriga skratt
kan vår kärlek oss göra till trälar.

Jag skall låta förnuftet fara,
jag skall säga dig kvinna: giv!
Men giv som en gåva, bara,
som en skänk åt mitt fattiga liv!

Jag önskar jag vore som vintern kall,
kunde andas med frost som natten,
men jag vet att om kärlek jag tigga skall,
som en sjukling tigger om vatten.

Och ljuvt är att höra i vinden
viskas sitt eget namn,
att smeka den hetaste kinden
i den starkastes farliga famn!

Ty vet, att jag girigt tar vad jag får,
det må bära – bära eller brista.
En slav av mig själv, lik en träl jag går
att spika min frihets kista.

Ty du kunde bli mor, min kära,
för ett rus som kommer och går. –
Det är synd om kinder så skära
skulle bleknas redan i år.

Nu kommer du, fyllig, varmblodig, stark,
din drömväg i spökenas timma. –
Fullmånen vaktar över hårdfrusen mark –
stjärnorna, stjärnorna glimma!

TILL ASTRID DOLORES VID SKILSMÄSSAN.

Mitt öde blev mig svårt
att släpa och bära –
jag flydde till Roomi och tände en eld,
ville vila från livet där.
Jag sett dina tårar,
jag hade fått lära
att du tigande hållit en annan kär.

Mitt i berglandets vår
stod en sorg vid min sida
och jag hade för gästen ej plats och namn –
ville släcka min eld och gå.
Jag var trött att älska
och att ensam lida
av en törstig kärlek,
och sade så:

Nu farväl! Det är kväll
kring dalar som blomma –
min eld lyser varmt, skimrar gult och rött
i majnattens bleka ljus.

Till tröst har jag tänt den
och till dagar som komma
är väl gräsvallen svartbränd
och blommorna grus.

Men jag önskar jag haft
ett barn med dig, kvinna,
liv av mitt liv, blod av mitt,
när jag ensam att lida går.
Som jollrade med mig
och om allt kunde minna,
som jag törstande drömde
i rosornas år.

BOTGÖRAREN.

Min synd är allt för tung att bäras mer –
i säck och aska vill jag kläda mig.
Med ansiktet mot jorden tyst jag ber,
när kvällen svalkas kring min pilgrimsstig

Du Jahve, Buddha eller Nazaré –
vem av er härskar, vem av er är till?
Jag biktar gråtande för det jag ej kan se,
och gör av nöd, det som jag icke vill.

Och kring mig ser jag ögon utan sorg,
och visa män, som skämta bort sin tid,
men själv jag ligger fallen på de gladas torg,
och ber till intet om en droppe frid.

Och kanske skall jag stärkt och renad gå
min morgonväg i solens klara ljus,

och aldrig ångra att jag då och då
föll ner på knä i vägens heta grus.

Men kanske skall jag glad vid nattens slut
gå ut till spel och dans som förr jag gått,
och kalla Gud för spöke som jag gjort förut,
och räkna synd för rätt och rätt för brott.

Ni gudar, dömen mig ej allt för hårt,
ty utav eder hand sker allt som sker.
Och leva är mig tungt och dö är också svårt,
när ingenting jag vet om döden och om er.

SIZZI.

Han föddes vid Lasso, där löjorna stimma
i vågor, som glittra likt pärlor och vin.
Han kom i det gulaste månljusets timma
till stränder, där ängsgräset blommar som lin.

Han döptes av vinden, som for genom gräset,
till "Sizzi av Lasso" av springarnas ätt,
men kallades hare av folket på näset
och dömdes till döden av jägarnas rätt.

Och dagögat, höken, såg skarpt där neröver:
"Det rör sig, det prasslar i strandlinjens blom,
jag seglar väl ner när ett mål jag behöver,
jag skjuter – det kan ej bli värre än bom!"

Och nattögat, räven, gick fram och gick åter:
"Kan undra var Sizzi i kväll håller till?
Kan undra om liten går vilse och gråter,
han kan dock få sällskap i natt om han vill."

Men Sizzi gick glad genom ängar och hagar
och gömde sig djupt in i Råmyra skog,
och bort flögo sommarens rosiga dagar,
och Sizzi fick leva, förunderligt nog.

Och vintern slog bro mellan stränder och öar,
där lövskogens grönska låg vissnad och strödd,
och vit över slogar på infrusna öar
och vit över ängen, där Sizzi var född.

Då travade döden en dag genom skogen
med herregårdskoppel och blanka gevär,
och jakten tog fart uppåt Hagbergaslogen
och gick nedåt Lasso och stannade där.

Där hörde vi ekot av smällarna sjunga
kring Lasso, kring dalen och skogen och sjön,
där fick han ett skott genom flåsande lunga
och blodet rann rött på den gnistrande snön.

Vid Lasso, där isarna råmande brista,
vid foten av Kvarnklintens vissnade fur,
där tumlade Sizzi omkring i det sista,
där stannade drevet, där blåstes i lur.

ONDA TANKAR.

Att vara skald, profet, och nödgas bo på gatan,
och aldrig veta när ens strid tar slut,
det är väl dock att slåss med själva satan –
och himlen vet väl knappt hur länge man står ut.

Det blir till trots, det kan bli blod och tårar,
bli knytnävskamp i kväll och död i morgon dag,

men aldrig får det bli till sorg och kvinnfolkstårar –
jag är dock intet barn och ingen kvinna jag.

Och detta kallar jag att fiska hela natten
och aldrig få till lön ett enda litet grand,
att färdas utan ljus på stora, mörka vatten,
men aldrig, aldrig se den minsta skymt av land.

Men finner man en dag min kalla kropp bland döde,
då blev det väl min lön att fredligt ligga där –
då är jag dock en man, som kämpat ut mitt öde,
det är väl dock min rätt att vara den jag är.

GÄSSEN FLYTTA.

När de gamla såren heta tära,
när din kind är vätt av ensamhetens gråt,
när att leva är att stenar bära
och din sång är sorg som vilsna tranors låt,
gå och drick en fläkt av höstens vindar,
se med mig mot bleka, blåa skyn!
Kom och stå med mig vid hagens grindar,
när de vilda gässen flyga över byn!

VISA, TILLÄGNAD ALL ÖMKLIGHET.

Sorg, du är ömsom sjukdom och svek,
plåga för kroppar och själar.
De svaga dö i din hårda lek,
de starka gör du till trälar.

Trotsa jag vill dig med dans och sång,
vägra din brygd att smaka;
sova vill jag när natt blir lång,
bäst du vill får du vaka.

Gäckas dig skall jag, smäda dig fritt,
slänga dig bort från min skuldra,
har du befallt mig: tig och sitt!
skall jag stå upp och bullra.

Kom, jag har grävt dig en fridsam grav,
dit skall du rödögd ramla.
Glatt med min järnskodda tiggarstav
skall jag fösa dig dit, du gamla!

Glatt på din grav skall jag träda en dans
och på din vård skall bli skrivet:
Vila i frid, du min andes svans,
hindrande bihang till livet.

SISTA NATTEN I PAINDALEN.

Är jag djur eller människa, sot eller jord?
Lika gott! Jag vart liggande här i min svett.
Jag är kolare Berg – och tro mina ord:
Jag har levat mej mätt – jag är född fyrtiett!
Och min kvinna är gammal som jag
och stultar kring golvet på styvnade knän,
och väntar vid tynande torrvedsträn
på sin egen förgängelses dag.

Min Gud! Min mila röker som förr,
och själv är jag färdig att dö!

Det går glimtar av grått framför kojans dörr –
det är snöljust – det kanske blir tö!
Mina minnen mumla i natt,
de snubbla i bråtar och springa i skogen –
och ute vid myren i Birgareslogen
hör jag rävarnas skall och skators skratt...
Åh – det rosslar – det brinner, mitt bröst!
Och nu skiner väl hundra stjärnor över Paindalens
snöiga höst. –
Jag minns hur isarna vräktes om våren, mot skären kring
Kerstulaön –
Får jag se det mer, ska jag tacka dej Gud, för en glimt av
den smältande snön!

Åhå! Gamla J a n n kommer snubblande hit.
Du är mager, krake, och ryggen är vass,
och din skabbiga päls är som knivstål vit.
Har du flyttat ur kärret vid Tervo–Lass?
Du minns att jag sköt dej och lade dej dit?
Vi slet allt satan – nog hade vi bäst
när vi sov som gråsten, husbonde och häst!
Men när blodröd morgon gick över i dag, järnbister, som
krita vit,
eller höstens slagregn som rinnande is
ur de rötvåta skogarna hällde,
och var timme var vass som ett rapp av ett flätat,
svidande ris,
då lärde vi, du och jag, vad slåsskamp som livet gällde.
Och jag piskade dej – min Gud! Om jag inte haft ondska
och mod
att pressa ur kampkroppen sakta, hans sista fattiga blod,
så hade du inte gått – och då hade vi svultit ihjäl –
för en slav beror av sin herre, och en herre beror av sin
träl.
Du, J a n n, gick för sakta med lasset, och jag – jag svor
och slog,
och Gud, som vet hur fattig jag var, han förlåter mej nog!

Jag vart avlad i trasor och sot, och i fattigdom avlade jag
de barn, som glömt sin mor och far och bittra barndoms
dag.
Och min farfar och farfars far var fattiga, svultna som
jag,
och i helgnätter, gnistrande klara, sina milor de klubbade
till,
och drucko som jag sin surmjölk och stekte sin sura
sill – – –
Men allt vatten jag drack all min värk och svett,
allt jag frös och led har vår herre sett –
och hans vilja är stor – och han gör som han vill.

*

Min hustru, Mari, räck mej handen – får jag säja farväl
åt dej?
Men jag minns – du är hemma i kojan, vi två ha timrat
hop,
Och du kan inte höra min röst och mitt sista rosslande
rop!
och du kanske ängslas och tänker och kanske du ber för
mej?
Du är mätt på att lida och leva, du är nöjd och gammal
och slö –
du har lärt dej att inte gnälla när utlevat folk ska dö . . .

Det var värst den där svarta hösten, när först du skulle
bli mor –
och det värsta är: jag var ond och jag trätte nog och svor.
Men jag minns inte att jag slog dej, kanske gjorde jag det
ändå? –
Du fick aldrig tid den hösten att se om skyn var blå eller
grå!
Minns du muren av kullrig gråsten? Du har svettats en
smula för den!

Du bar ämbar på ämbar med murbruk, och då var du
havande än!
Du var bara en krokryggig slav åt en stackars släpande
man – –
Kan du bedja, så be för mej, hustru – för själv tror jag
inte jag kan.

Minns du rågen du rodde i rasande storm?
Mellan drivis som brakade, sjöar som slog,
du höll åran hårt som satan den natten,
och döden såg dej och han kände nog
dina händer av järn, dina armar av stål,
som höll slagsmål med Tärnsjöns vrålande vatten.

Och jag vet nog, Mari, att när gubben är död,
då med skrumpna och hårdnade händer
ska du binda en lingonriskrans,
att läggas på locket till hemgjord kista,
och följa din arbetskamrat i det sista.

Det river och sticker, mitt brinnande bröst,
och i feber bränner min bengula kind . . .
Och det vore ändå som en dödsens tröst
om här blåste en lenande sunnanvind. – –
Jag ser stjärnor tändas, de tändas allt fler
och det sprakar i milan och röken slår ner – –
som en trasa att hölja mej – kan jag gå opp?
Ska jag laga min mila än en gång?
Genom paltorna silar sej sotblandad svett
och beckar dem fast vid min trästyva kropp . . .

Nu lider det – nu hör jag klockklang – –
Nu börjar min sista musik –
nu ringer ett dödens helgsmål över Voimas isiga vik.
– –
Och prästen går före till altarets bord,
och klart hör jag livsens eviga ord:

Att helig, helig är herren Gud
och jorden är av hans härlighet full – –
Det förstår inte vi, som ha brottats med nöden,
i höstnätter, svarta, som sot, som döden – –
Si, människor födas och leva en tid,
och gå till sitt rum och äro ej mera,
och djupt ner i jorden kropparna frysa,
i gravarnas klibbiga, jäsande lera,
men anden så högt som stjärnor lysa
far uppåt på snövita, skinande vingar!

Jag ser stjärnor slockna, de slockna allt flera –
och mitt bröst sej häver i dödskampens möda,
och det hamrar i hjärnan – jag är dödligt trött – –
Men ginge en storm över Harja skär
så bad jag den hälsa till kojan där – –
Nu är mörkret som beck – har jag redan dött? – –
Och lik kallnat järn känns min sotiga kind.
Nu stannar mitt bröst – och lugnas och tiger –
nu står natten tät som en mur av bly – – –
och nu stiger jag – sjunker jag – sti-ger –
i en mumlande – tumlande sky – –
och nu – lyftes jag – lyftes – Gud – jag är – fri!
Och förlåt – om jag – slog dej – Mari!

VÅRKÄNNING.

Jag vet var spindlarna spänna
i vassen nät över vattnet,
var den skummaste dagningen dallrar
i den blommande ljungens skogar.

Jag har räknat bäckarnas dammar
av korslagda, nerblåsta grenar,
från kärrlandets mörkgula björkar –
jag har sett var de unga uttrarna
gå att jaga i grumliga vågor
under lösa, gungande tuvor
och gula, vaggande land.
Jag har känt det dunklaste dunkla,
som lever och njuter och lider
under gräsens flätade täcke,
som kravlar och krälar och kryper
och fångar och dödar och äter
och avlar och dör för att leva
pånyttfött i kommande tider ...
Jag vet alla vägar för vattnet
där de nyfödda bäckarna mumla,
under mossornas multnande skogar,
under böljande lövverk, som myllra
av kvickbent och svartbrunt och maskvitt,
som väntar på växande vingar
till soldans i berglandets vår.

*

Det visslar en bondtrygg stare,
det skymtar en räv över mon,
det hoppar en jagad hare –
jag trampar en mask med skon.
Jag blev väckt av liv som larmar –
jag har vaknat i vårens armar,
och fast hungrig jag strängat min lyra,
bland alarnas droppande blom,
är jag rusig av vårens yra,
där jag går i min fattigdom ...

JÖNS LEKARES KVINNOR.

Jöns Lekare satt vid elden, som pep bland sura trän,
och sög sin vinrotspipa och sträckte styva knän.
Han talade gamla sagor på ett rent och ohöljt språk
om forna dagar och kvinnor och rus och älskogsbråk.

"Mina kvinnor ha varit många, och bli väl många fler
fast hågen att be och att brinna har slocknat mer och
mer.
Och somliga ha väl gråtit – och andra ha skrattat kallt,
och kvinnan hon är väl underlig, för att Gud har så
befallt.

Min första var ond och hetsint och öm och grym och
snäll,
och med erfaren, trånande kärlighet förförde hon mej en
kväll
och grät många bittra tårar och ville ha mej till äkta
man –
Men det är somt en kan och somt en på inga villkor kan.

Den andra var emanciperad och ren och kysk och skär,
och predikade renhet i levernet och var fri från köttets
begär.
Och jag var ett Adams barn och fann klokast att packa
och gå. –
Hennes tal jag gömde i hjärtat och trodde hon menade
så.

Men jag undrar ändå om predikandet var bara ett nytt
sorts garn,
för hon är gift sedan länge och har många, många
barn ...
Och det vart många andra, som jag inte mera minns.
Och där lusten brunnit hetast är ett rum där intet finns.

Ty den sista kvinna jag älskat, det sista begär jag känt,
har gjort min själ till ett tomrum, där det innersta är
förbränt.
Och till sist är väl allting aska och vitt som vissnat strå –
och kanske det är det bästa – det blir nog lugnast då."

TAL TILL JONATHAN.

I.

Säg, varför skall du, Jonathan, sörja och lida,
kan du inte vara rosam och rolig som förr,
när du sitter i din stuga medan tiderna skrida,
medan stormarna larma med din förstugudörr.

Omkring dej har du fattigdomens paltor och trasor
och män som rulla galna i tillvarons grop –
och din själ har hällts bräddfull av jagande fasor,
och ditt inre är ett nödskri, en döendes rop.

Men du måste bliva kall, du må sluta att brinna,
innan livets tunga järnhand slår din ande ihjäl.
Låt gudar och djävlar ur din hjärna försvinna –
du måste bliva hård för att rädda din själ!

Vad båtar det att stirra sej blind och att tänka
på allt som är förvuxet och krokigt och snett?
På alla vilda ögon som fåniga blänka –
på allt som drömmer galenskap och vaknar i svett?

II.

Gå knyt dej i skuggan, gosse,
och sov under svala trän,

och hölj ditt arma huvud,
för bett från flygande fän!
Och skälls du för en latmask,
så ge gott igen:
”N i pressar er framåt mot graven,
med bekymmer varenda dag –
j a g ligger i lundens svalka
och bara väntar, jag.”

HELGDAGSKVÄLL I TIMMERKOJAN.

Bort, längtande vekhet ur sotiga bröst,
vik, bekymmer ur snöhöljda bo!
Vi ha eld, vi ha kött, vi ha brännvin till tröst,
här är helg, djupt i skogarnas ro!

Sjung, Björnbergs-Jon ur din fullaste hals
om kärlek och rosor och vår!
Stäm fiolen, Brogren, och spela en vals
för spökblåa, månlysta snår!

Under stjärnornas glans flyger nattens dis
som ett sus över barkhöljt tak,
och det tjuter i Lammeloms sprickande is,
där det stöper från öppen vak.

Det är mil efter mil till lador och hus
där frosten går tjurig vid grind,
här är lustigt i stockeldens gula ljus,
som darrar i nattens vind.

Du är fager, Brogren, i eldglans röd,
där du gnider din svarta fiol,

för mat och för brännvin du glömt all nöd,
och din panna är ljus som en sol.

Och Jon, där du sitter vid grytan din,
en baron i din mollskinnsskrud,
se fast åren ha garvat ditt sega skinn,
i ditt sot är du ung som en gud!

Och Vargfors-Fredrik, du skrattande man,
som vill alla uslingar väl –
kom, sjung om din ungdoms synd, om du kan,
och en skål för din gossesjäl!

Och när morgonens stjärnor blekna och dö
och när ångorna stelna till is,
och när dagningen skälver på myr och sjö
vi sova på doftande ris.

Då sova vi alla på granris tungt
och drömma om bleka mör
och snarka och vända oss manligt och lugnt,
medan elden falnar och dör.

NÄR GASKEN DOG.

Han vred sig på sin sotsäng i våndande kval,
Gasken, spelman från Särna i Sjö:
"Jag skall spela för djävlarna i Gammal-Erkers sal –
det är kusligt för en spelman att dö!"

Han rev och slet i täckena och sparkade sig sår,
och väggaveln brakade och brast:
"Jag har tjänat under satan i tretton glada år,
jag har spelat mig i helvetet fast!"

Och Banga, predikanten, botade och bad:
"Fräls spelman, som brutit dina bud!"
Men Gaskens gamla mor mente: "Han har varit glad,
Gasken spelman har spelat som en gud.

Det är ej Herrens vilja att han osalig går
att brinna utan ände i ondfolkets stad;
Ska inte han, som över duvolek och fåglalåt rår,
kunna tåla att man dansar och är glad?"

Och Banga, predikanten, som bad i hans hus,
han darrade och kinden var blek,
han hörde tydligt svartänglavingarnas sus,
när den lede kom att hämta sin stek.

Men Gasken bara svor och förbannade sin nöd,
och ropade och tiggde om tid
att sona sina felsteg, att få vin och bröd
till syndernas förlåtelse och frid.

Så reste han sig stirrande, vildögd och blek
och såg Gammel-kar'n med bockfot och svans,
som vinkade välkommen till svartingarnas lek
och till svavelgula smådjävlars dans.

Sen såg han på sitt folk och mumlade godnatt,
och blev glad och förbannade ej mer,
sen dog han med ett skallande, vansinnigt skratt
och sjönk stillsamt på sänghalmen ner.

Och stilla vart kring lägret där spelmannen låg,
som tjänat djävulen med strängalåt och lek.
Men till morgon man Banga, den andlige, såg
stå vid bädden, bedjande och blek.

Och Banga var alltsedan en skugga av sig själv
och predikade ej mera som förr. –

Det är kusligt vara färjkarl vid dödens älv,
att ha vakttjänst vid tystnadens dörr.

Men Gasken sover ljuvligt under gräs och grus –
kanske fick han det bättre än man tror?
Kanske spelar han på gästabud i Abrahams hus,
där den eviga fridsamheten bor?

TJUVSKYTTEN.

Mätt av åren, tung och darrhänt
var han bliven, Jägar-Vilhelm,
satt med mig på dikeskanten,
täljde lugnt sin levnads sägner,
rökte, talade och sade:

”Rikmän togo våra skogar,
togo våra magra tegar,
togo våra barn och hustrur.
Ville göra oss till slavar,
och förbjuden blev vår jaktmark,
brott det blev att högdjur döda.
Men jag tänkte: Jag vill hämnas,
edra högdjur vill jag fälla
för att edert rov må mätta
mig och mina glupska ungar.

Vida, vida har jag färdats
högt på fjäll och djupt i dalar;
långt från bygd och mil från vägar
har min nötta bössa sjungit
dödens sång för treårsälgar. –
Flått dem har jag, ostört ensam,
styckat mular, stekt på glöden,

ätit kött och druckit brännvin,
glad vid doft av blodet röda,
som fått rinna ut på marken.
Köttet har jag gömt i skrevor
under vindfällt, torkat granris,
tills jag hämtat kraft och vilat
nog att kunna hemåt draga
med min last av lår och bogar.

Och i huden, varm och blodig,
har jag rullat säkert in mig,
för att dold i beckmörkt bergpass
sova utan onda drömmar
mätt av vilt och trött att döda.

Gosse, jag har burit älgkött
säckvis genom svarta dalar,
vadat över sanka myrar
bort och åter till min slaktplats;
mest i nätter utan månljus,
mest i becksvart, stjärnlöst mörker,
ledd av vinden, sedd av ingen;
burit salt från byn till kojan
och grävt tunnor ner i marken,
saltat ned och tackat Herren
för en god och vältjänt näring,
mat åt kvinna, mig och ungar.

Nu det lidit långt på kvällen,
sol går ner, det skymmer sakta
kring de gamla kända marker.
Gammal är jag, slut är jakten,
men jag yves och jag glädes
över vägar jag har vandrat,
över faror jag har bröstat,
mest dock över djur jag dödat
och i mörka nätter styckat,

medan markens nya herrar
slumrat mellan vita lakan."

HEMLÄNGTAN.

Jag är trött, jag är led på fabriken,
jag vill hem till jordhöljt bo,
till min koja vid Blodstensmyren,
i de gröna gömmenas ro.
Jag vill leva på bröd och vatten,
om jag endast strax får byta
allt gasljus och larm mot natten
där timmarna tysta flyta.

Jag vill hem till dalen vid Pajso,
till det gräsiga kärret vid So,
där skogarna murgrönsmörka
stå i ring kring mossig mo,
där starrgräs i ånga växer
vid källor som aldrig sina
och där växter väva i jorden
sina rötter silkesfina.

Jag vill hem till dalen vid Kango
där ljungen står brinnande röd
som ett trots i flammande lågor
framför höstens hotande död –
där fjärilar, färggrant glada
på mjöliga vingar sväva
och tunga, sjungande humlor
i den svällande myllan gräva.

Jag vill hem till det fattiga folket
som svettas i somrarnas glöd,

som vakar i bittra nätter
i envig mot köld och nöd. –
Jag vill dit där molnen gå tunga
under skyn där stjärnor skina,
och där obygdsforsarna sjunga
i takt med visorna mina.

DEN SISTA SÅNGEN.

Släck dina stjärnors sken
du höga urskogsnatt,
och mörkna, unga ljung
inunder gråa granar!
God natt, mitt vandrarliv,
var tyst mitt galna skratt,
och flygen långsamt bort,
min ungdoms svarta svanar!

God natt, du höga hem,
farväl mitt barndomsland!
Ditt dunkel går i rött,
som blod blir morgonljuset!
Min själ är sjuk och tom,
min själ är ond och led –
nu låt mig sova tungt
på daggbegjutna gruset!

Lång var min längtans kväll,
min själ var evig eld –
som brann likt döda träd,
i junivindar varma. –
Sjung, skog, din svala sång –
tills drömmaren är död –
och kring hans hårda bädd
låt morgonstormen larma!

UR
DET KALLAS VIDSKEPELSE

FÖRETAL.

Jag ska hälsa från Laolands uggla,
som åldras i granklädd vrå.
Hennes hundraårsgamla ögon
se grönt mot himmelen blå.
Hon minns alla ben som vitnat,
där räven sitt nattmål fått.
Hon har hört alla hesa skators skratt,
under alla år som gått.

Hon har jagat i fredlösa nätter,
över gråberg och becksvart sjö,
och lyssnat till mjuka fötter,
som tassat i blodig snö.
Hennes minne kan aldrig blekna,
hennes visdom är djup och tung,
och nu drömmer hon slött när jakten
går hett över frasande ljung.

Hon minns det viskande mörkret,
kring byn som var obygd förr,
där hon väntat i dystra nätter,
framför döende skogsmäns dörr.
Hon har flyktat till Laolands hålor,
där ingen den gamla ser,
och boksynt folk i byarna,
de tro att hon finns ej mer.

Hon tror att folk blivit dummare,
av allt de hört och läst,

att upplysningsfödan till syra
i deras magar jäst.
Hon täljde om tysta spöken,
och gastar och fula ting,
och skrattande andar som dansa
om natten i svingande ring.

Hon bad mig skriva om heliga berg
där kunniga trollmän bo,
vid kärr där den sista finnen
har tappat sin näversko.
Och de som snusa förnumstigt
åt ting som de ej förstå,
ska jag hälsa från Laolands uggla,
som grinar i granklädd vrå.

SPÅDOMEN OM VARMA KÄLLORNA.

Bleka och hatande män ha lutat sig ner över vattnet,
läst i vårt grumliga djup och bedit om hemliga ting.
Öst av vårt heliga vatten över de blodade händerna,
smitt vid vår dyiga våg på det ändlösa ödets ring.

Svarta och blanka vi sova tryggt mellan gungande öar,
tyst tog vårt sväljande djup emot var nersölad kniv,
tysta vi speglade skyn och stränder av gungande ängar,
sakta gick jägarna hit att offra för byte och liv.

En gång var källan ett hav, där i solvita stormar
irisskimrande dansen gick yr genom skummande våg.
Då var sommaren het och blå och beskådad av ingen,
osedd i vildhavet speglade åskmolnens svartröda tåg.

En gång blir källan en åker, där säden böljar för vinden,
ting som man offrat vid midnatt, skola skrapa mot
plöjarens plog.
Då skola människor offra till järnets och trummornas
gudar.
Då skall tomheten vaka och sorgen sjunga i skog.

EN LANDSTRYKARES MORGONSÅNG TILL SOLEN.

Sol, har du redan stigit över tjärnen och heden?
Skrattar du redan bredmunt med ditt ansikte gula?
Kom nu, så får du lysa på slafsande trasor,
fattiga äro barnen dina, magra och fula.

Sol, vill du höra visor om isen och natten,
vägarna äro hårda och stängda äro husen.
Nattrampet är jag trött av, och morgonen är min plåga.
Sol, dina små prinsessor äro rädda för busen.

Sol, varför är du vass som en rispande skära,
finns intet moln du kan smyga bakom?
Säj, varför kommer ljuset så oförskämt nära?
Tar du dock kanske trasor för blad och blom?

Sol, jag är nog en blomma, en vandrande blomma,
gifthus det har jag också, bakom trasiga blad.
Lys mig på mina vägar – du är dock min moder!
Död och brott blommar i ditt bländande bad.

Stackare mig som blott har dig till moder!
Sol, du som föder tusen små stinkande liv!
Sol, du är blott en måne på hemlösas vägar!
Sol, för de syndsvarta är du skarp som en kniv!

Sol, jag är full av hädelse, skynda dig, göm dig!
Skälvande må jag krypa hop här i skuggan och gråta,
sol, om du är min moder, gå undan och glöm mig,
sol, vill du inte torka mig – kinderna äro våta!

OLLES FÖRBUND MED MAKTERNA.

Jag har skurit ett pilspö där ormarna paras,
i skäret vid Lasso i torsnattens månljus,
och lärt mig en vissling som Karigos svalas
i dalen där Ramnåsen stupar mot Kanga.

Jag har skurit mig pinnar av åtta slags vide,
och doppat dem röda i blod från en trana,
och skrivit att blodet var blod ur mitt hjärta –
han tror nog på lögnen – av gammal vana.

Snart får jag ett slott och en lustig prinsessa,
och guld åt mig själv och min fattiga mor,
och snart får jag bo som konungen bor,
men när tiden är ute och djävulen bråkar,
då visas det nog vem var starkast och klokast,
då, gamle förvillare, ska vi processa!

Och nu är det midnatt och fåglarna tiga,
och dagg dricker marken och sommaren sover
sin sömn tills den rodnande morgonen bräcker.
Åt avgrundens storman min själ skall jag viga,
till fröjd åt hans hjärta – så länge det räcker!

Nu susar det tungt genom ångande dalar,
nu susar som stormen hans vagn över fjällen.

Här sitter jag och röker min pipa på hällen,
och känner på hur nattvinden smeker och hugsvalar.

*

Och kommer han inte så kvittar det lika,
ty skogen är så härlig och natten är så varm!
De veta ej, de tröga, de lärda, de rika,
vad livet är om natten i vildmarkens barm.

Vad livet är om natten när födelsen och döden
gå dansande och vandrande kring gamla gråa hus,
när makterna ha rådslag och dikta våra öden,
i sommarnatt, i skugga, i alsnårens sus!

Vi födas under smärta och skratta när vi kunna,
och drömma när vi kunna och tiden han går,
vi bryta våra blommor och älska dem som dofta
och somna en gång stilla och glömma våra år.

SVARTA BALLADER

OMKRING TIGGARN FRÅN LUOSSA.

Omkring tiggarn från Luossa satt allt folket i en ring,
och vid lägerelden hörde de hans sång.
Och om bettlare och vägmän och om underbara ting,
och om sin längtan sjöng han hela natten lång:

"Det är något bortom bergen, bortom blommorna och
sången,
det är något bakom stjärnor, bakom heta hjärtat mitt.
Hören – något går och viskar, går och lockar mig och
beder:
Kom till oss, ty denna jorden den är icke riket ditt!

Jag har lyssnat till de stillsamma böljeslag mot strand,
om de vildaste havens vila har jag drömt.
Och i anden har jag ilat mot de formlösa land,
där det käraste vi kände skall bli glömt.

Till en vild och evig längtan föddes vi av mödrar bleka,
ur bekymrens födselvånda steg vårt första jämmerljud.
Slängdes vi på berg och slätter för att tumla om och leka,
och vi lekte älg och lejon, fjäril, tiggare och gud.

Satt jag tyst vid hennes sida, hon, vars hjärta var som
mitt,
redde hon med mjuka händer ömt vårt bo,
hörde jag mitt hjärta ropa, det du äger är ej ditt,
och jag fördes bort av anden att få ro.

Det jag älskar, det är bortom och fördolt i dunkelt
fjärran,
och min rätta väg är hög och underbar.

Och jag lockas mitt i larmet till att bedja inför Herran:
'Tag all jorden bort, jag äga vill vad ingen, ingen har!'

Följ mig, broder, bortom bergen, med de stilla svala
floder,
där allt havet somnar långsamt inom bergomkransad
bädd.
Någonstädes bortom himlen är mitt hem, har jag min
moder,
mitt i guldomstänkta dimmor i en rosenmantel klädd.

Må de svarta salta vatten svalka kinder feberröda,
må vi vara mil från livet innan morgonen är full!
Ej av denna världen var jag och oändlig vedermöda
led jag för min oro, otro, och min heta kärleks skull.

Vid en snäckbesållad havsstrand står en port av rosor
tunga,
där i vila multna vraken och de trötta män få ro.
Aldrig hörda höga sånger likt fiolers ekon sjunga
under valv där evigt unga barn av saligheten bo."

EN SPELMANS JORDAFÄRD.

Förr än rosig morgon lyser över Himmelmora kamm,
se, då bärs där ut en död från Berga by.
Över backarnas små blommor går det tysta tåget fram,
under morgonhimlens svala, gråa sky.
Tunga stövlar taga steg över rosensållad teg,
tunga huvuden säj böja som i bön.
Bort ur ödemarkens nöd bärs en drömmare som död,
över äng som under daggen lyser grön.

Han var underlig och ensam, säja fyra svarta män,
han led ofta brist på husrum och bröd. –
Se en konung, säja rosorna, och trampas på igen,
se en konung och en drömmare är död!
Det är långt, säja bärarna, det känns som många mil,
och när hetare blir dagen går man trött. –
Gången varligt, talen sakta, susar sälg och sjunger pil,
det är kanske någon blomma som har dött.

Men när kistan vaggar svart genom vårens gröna skog,
går en tystnad genom morgonvaknad teg,
och då stannar västanvinden för att lyssna vem som tog
mitt i rosorna så stora tunga steg.
Det är bara Olle spelman, susar tall och sjunger gran,
han har lyktat sina hemlösa år. –
Det var lustigt, svarar vinden, om jag vore en orkan,
jag skulle spela hela vägen där han går!

Över ljung och gula myrar gungas hårda döda ben,
gungas tröttsamt genom solens bleka ro.
Men när kvällen svalkar härlig över lingonris och sten,
hörs det tunga tramp i Himmelmora mo.
Tramp av fyra trötta män, som i sorg gå hem igen,
och de böja sina huvun som i bön.
Men djupt i djupa grova spår trampas rosorna till sår,
mitt i äng som under daggen lyser grön.

Han är borta, säja fyra, det blir tungt för hans mor,
som på fattiggåln i Torberga går. –
Varför trampas vi av klackar, varför slitas vi av skor?
jämra rosorna och visa sina sår.
Det är Döden som har dansat genom Himmelmora mo,
susa tistlarna på klövervallens ren.
Han har slipat er till träck med sin gamla grova sko,
när han dansade med drömmarens ben.

Över gräs och gråa hus flyger natten som ett sus,
bleka stjärnor blinka fattigt från sin sky.
Över heden ifrån väster nedåt tjärnen går ett ljus,
går en sång över näckrossållad dy.
Och stormen sjunger svart och vitt
och i skum kring Härnaön
sjunga vågorna om ödemarkens nöd.
Över svarta vreda vatten spelar natten upp till bön,
ty en spelman och en drömmare är död.

SPELMANNEN.

Jag är spelman, jag skall spela på gravöl och på dans,
i sol och när skyar skymma månens skära glans.
Jag vill aldrig höra råd och jag vill spela som jag vill,
jag spelar för att glömma att jag själv finnes till.

Jag vill inte tröska råg och jag vill inte repa lin,
ty den hand som stråken skälver i skall hållas vek och fin.
Ni får inte ge mäj bannor eller kalla mäj för lat,
fast jag stundom hellre hungrar än jag spelar för mat.

Jag vill inte gräva jorden, jag vill inte hugga ved,
jag vill drömma under häggarna tills solen hon gått ned.
Och i kvällens röda brand ska jag stå upp med min fiol
och spela tills ert öga lyser hett som kvällens sol.

Jag ska spela när ni gräva era kära ner i jord,
jag ska spela hela sorgen i en visa utan ord.
Och det svarta som var döden och som hälsat vid er
säng,
det skall forsa som en strömmande sorg från min sträng.

Jag ska följa genom dalarna i höstens höga natt,
och i rök från hundra milor ska jag sjunga som besatt.
Och när natten böljar becksvart över skogstjärnens
skum,
mina basar skola ropa djupt ur mänskosjälens rum.

Tre sorgens strängar har jag – den fjärde har gått av,
den brast i en skälvning på den bästa vännens grav.
Men ända in i döden vill jag följa er med sång –
och jag vill dö och jag vill spela till uppståndelse en gång.

KARIS-JANKEN.

I.

Det var bara ett hybbel av klumpar
kring röset där elden brann,
det var ändå en kula att bo i
för en ensam och galen man.
När han skar sin tobak vid glöden,
och åt sitt svarta bröd:
det var ändå en tröst och en hugnad
i livets blekaste nöd.

Och av trasor sydde han dockor,
med ögon av talgig glans,
och nämnde dem Greta och Lisa,
och de voro hustrurna hans.
De vaktade hus och hemfrid
för troll och folk och fä,
de sutto och sågo om kvällen
hur han skar sina slevar av trä.

Och tyst var himlen den höga,
där fullmånen leende brann,
och tyst var skogen på berget,
medan natten i stillhet svann.
Då sjöng han sin galenskaps visa,
han sjöng för obygdens natt,
och hustrurna Greta och Lisa
de skrattade tokiga skratt.

Då sjöng han och gned på fiolen
vilt så strängarna sprang,
han sjöng den konstiga visan
om kung Tingi – Ring – i Tang.

II.

Och konung Tingi – Ring – i Tang
har mantel himmelsblå.
Hans hatt är gjord av kristet skinn
med röda djävlar på.

Och konung Tingi – Ring – i Tang
han har en ugn av sten.
Där steker han sina köpta barn,
och bygger sin mur av ben.

Av sommar och vinter är hans land,
där röda sjöar slå mot strand,
och tistlar blomma i snön.
Hans vinst är förlust och hans krona röd
är bränd och kolad på stekarens glöd
vid den evigt brinnande sjön.

För hej och hå, för hej och hå!
För svarta syndares lön,
för hej och hå, för hej och hå,
för den brinnande – eviga sjön!

III.

Det var Karis-Janken som natt efter natt
på en stupande häll ner i Pallao satt,
det var han som sjöng hela höstnatten lång
för dimmiga dalar sitt vansinnes sång.

"I de svartaste nätter vid det rödaste ljus,
i de gungande skogar vid de gråaste hus
skall jag hamra mina klippor, skall jag leka med mitt ler,
och jag somnar vid min slägga när solen går ner.

Jag har svurit mäj åt satan vid psalmbok och kniv,
och jag bär på min slägga för att freda mitt liv.
Och ingen kan mäj skada och allt skall gå mäj väl,
men satan har fått löfte om min pinade själ.

Han var husbond min som på bockfot stod,
när jag svor vid kyrkljus, när jag svor vid blod,
men aldrig i ugnen till plågan går jag in,
och jag släpper aldrig taget kring släggan min.

*

Alla mina höga skogar äro skrattande glada,
alla mina klara stjärnor mände dansa i natt.
Trollmän och onda tider kunna intet mäj skada –
djävulen själv är rädd för mitt skallande skratt!

Kall som den klara kvällen och svart är min visa,
bär den ej ut i bygden, där skrattas den åt,
sjungen den är i natten för Greta och Lisa –
slocknar högt upp i himlen och slutar som gråt."

IV.

Han släpade med sig på lek och till värn
en sliten slägga av blänkande järn.
Den glimmade lustigt i svartnande skog,
när han takt till sin visa mot stenarna slog.

Och han grät och log och rasade vred,
tills han sanslös och sjuk föll till jorden ned.
Och när skolbarnen skyggt gingo vägen till byn,
satt han stilla och såg mot den leende skyn.

*

Han hittades död och kall en dag,
med släggskaftet fast i ett järnhårt tag.
Och en solstråle dansade spelande fin
kring munnen som stelnat i dårens grin.

TIGGAR-STINAS MIDDAGSSÅNG.

Vem snuddade vid din vagn, herre, vem knackade husvill
på?
Trasig skalv jag i din lada, tills morgonen lyste grå.
Du undrade vem det var, herre, men lugna däj nu –
jag minns din barndom på Härönäs, jag är dubbelt så
gammal som du.

Å – tungt trycker brödet, jag har tiggt, på min arm,
och min gula och skrumpna kind känns så varm,
och så trasig och slafsig slänger kjolen.
Genvägen tog jag över Hagberga fall,
skuggan där är ljuvlig under gran och tall –
mellan röda enar bränner solen.

Jag snuddade vid din vagn, herre, där mjukt du slöade
fram –
Tiggar-Stina har bannat din rygg och spottat i hjulens
damm.
En söndrig skugga var jag, ett nånting som gick förbi:
ett stinkande trasbylte bara, med ett skälvande hjärta i.

Genvägen tog jag över Kärrmyra fall,
skuggan där är ljuvlig under gran och tall –
trasig och slafsig slänger kjolen. –
Gamla stela ben vilja helst gå svalt och mjukt,
svalka vill mitt huvud ha för det är hett och sjukt –
mellan röda enar bränner solen.

Jag minns när du byggde, herre, små hus vid Tärnsjöns
strand,
hur den blödde av skarpa stenar din lilla vita hand.
Hur du grät dig i sömn den kvällen, när Nero fick stryk
för stöld,
har du kvar det hjärtat ännu, då bär du det som en böld!

Om du visste hur solen bränner
en tiggerskas vissna kind,
då bad du väl till din barndoms Gud
om en sval men skonsam vind?
Du minns väl den gamla guden?
Han som amman trodde på –
han som orkar så mycket och vill oss så väl
så länge vi är små.
Han var ljuvlig att ha, den gamle –
alla barnens skäggiga, kronprydda Gud –
sen blir han en psalmboksgubbe
för barndopskvinna och brud.
Sen blir han en sträng en herre,
över stora, otäcka barn,
som han maler sakta och säkert
på sin gamla skrikande kvarn!

Byltet är tungt och solen är het.
Bröd har jag fått i Hagberga gård –
hårda gamla kanter vart mitt byte.
Men ingen enda kant är väl så jämmerligt hård
att jag inte kan blöta den i Västnora kärr –
brödet, som har hårdnat i mitt knyte.

Det är tungt att gå och känna säj som en trasig gammal
lump,
som bäst kunde bindas och stenas ner i nån ödslig,
gungande sump,
det är svårt att veta vad som är värst, att dö i ett blött
moras,
eller hänga i träd eller gå omkring och skys som ett
gammalt as!

Och nu har jag sett i sjutti år – och hört och känt en del –
och folk ska en aldrig förbanna, för ingen är utan fel,
men jag säjer ändå: det är inte värst när en gård är
granrisströdd,
det är ruskigt höra att nån är död, men värre att nån är
född.

Det svartnar kring skyn, det skymmer,
det mörknar ihop till kväll,
det rumlar av åska och blixtrar vitt
bakom Skambergets röda häll.
Jag ska lägga mitt bröd till huvudgärd
och vänta på allas tröst –
kanske kommer han ner ur åskbyn
och klämmer ihop mitt bröst.

Stort är mörkret kring mitt hjärta
hård är dagen, svart och kall!
Kall går skuggan kring mitt huvud –
ljuvlig är skuggan på Hagberga fall!

Å – hur jag styvnar i en svepning av trasor –
ingen i byn vet hur det är fatt –
Å – sträck er raka, ben som brinna –
ensliga vägar – godnatt!

JÄGARNAS VAGGSÅNG.

Vår eld är röd som kvällen som brann
bakom Dombergets vågiga ked,
röd som älgblod som ångande rann
i sanden vid Hautana hed.
Vi drömma och drömmen är het och röd,
är dröm om koppel och flämtande nöd,
är brak och rassel av skrapande horn
och smällar som sjunga om en död.

En älgkalv kom löpande från Västmora nor
och fick nåd och fick löpa igen,
men i mörkret vid Bårhällen stupade hans mor,
tre mil ha vi sprungit för den!
Vi slaktade glada vid Stormyrens skär,
efter drevturen ändlöst lång,
och kött ha vi stekt vid riselden där
och sova på granris på klippdalens botten,
sövda av skogarnas sång:

”Somna in, somna in, vila seniga ben!
Drömma kött, drömma blod, drömma död!
Vi ha gamla, gamla anor från kastspjut och sten,
vi är stora, starka jägare och döda är vårt bröd.”

Och i drömmen spänna vi
musklerna till stål,
och vi bita våra tänder var och en!

Våra halsar sträckas stelt,
våra naglar gräva hål,
bredvid elden, den röda,
och natten är så sen!

Tyst, på huk! Spänn din rygg!
Slunga säkert din lans!
Lilla vilde i din blodiga dröm!
Borra kniven din i ben,
och i blodets röda glans
skall du spegla dig – spegla dig –
så skinande blir aldrig
din yxa av sten!

Du skall dansa alla jägarnas dans,
sen du tuggat på din lever
och sörplat ditt blod!

Med din mage full av djurblod
skall du ligga hos din kvinna,
som ska föda dig små jägare
om lyckan är dig god.

Små jägare som döda,
av fruktan och för nöje,
för magen och för honan
sig själva och varann.

UNG HARALD.

Ung Harald han våndas – ”Guds pina och död!
Jag ville sjunga vid tennstop till luta,
men någon må skänka mig vatten och bröd,
och en säck där jag ögonen må sluta.”

Och Haralds moder hon ber för hans väl:
”Jag kan ej sova om han vaken måste vara!
Förgör hans kropp, o, Gud, men hans själ
för det yttersta av mörkret bevara!

Ty folket vill ha narrar och visorna hans,
på en svart grammofon får han veva.
Hans öga har den höstvåta malörtens glans –
o, Herre, han har svårt för att leva!

Små lappar har han klippt av en tatterskas schal,
och pyntat små trasdockor fina.
Men ögon har han gett dem som spruta av kval
och händer förvridna av pina.

När han vevar, då dansa alla dockorna små
och han suckar och skrattar av smärta.
Han sjunger: ’Om jag finge från marknaden gå,
jag ville ge er en bit ur mitt hjärta.’

Jag är bunden av billiga jordiska band
och varje dygn är en fil på min kedja.
Följ mig, när den brister, till Ditt tidlösa land,
ung Harald är för rolös att bedja.

En femöring, herre, för en vansinnigs sång –
jag är en fluga som surrar mot en ruta.
Å, vad solljus gör ont och vad natten är lång –
Herre Gud, att få stupa och sluta!”

TIGGAREN SIMONS SÅNG.

Jag är tiggaren Simon – vill du höra mäj predika?
Jag är skapt att mässa en åsknatt, eller hur?

Min mor var en stickerska som stack åt de rika,
hennes håliga kindben hade hungern grävt ur.
Min far var en fattig man med darrande händer,
om jag sluter mina ögon jag ännu honom ser:
På knä på golvet står han, vid brasans sista bränder,
och som stjärnor som slockna är hans blick när han ber.

Min mor ville slita sig till döds för att ge mig
en brödbit litet större än hon själv hade fått.
Som boklärd herreman ville hon se mig,
det var därför hennes hår så fort vart så grått.
Och min far var ett helgon som led alla fasor,
och brottades med Gud om min mörknande själ,
och jag är en vandrande benhög i trasor,
och förr än jag arbetar vill jag svälta ihjäl.

Du tål inga drönare – du säger, bed och arbeta,
du värderar bara arbete och kärlek, min bror,
men min far, han bad sig till döds skall du veta,
och självmord av kärlek gjorde min mor.
Och här ser du bönerna vår Herre skulle höra,
här är väven som valkat en modershand hård,
och här har du sångerna som sjungits i mitt öra:
Får jag svälja mitt sista brännvin på din storm-
rivna gård?

Min mor hon dog av arbete och sorg om våren,
och det var inga stjärnor som lyste hennes säng.
Med ögonen dimmiga av brännvin såg jag båren,
där hon kallnade bland rosor, så mörk och sträng.
Och jag bytte mig ett veckolångt rus för det hon
lämnat
åt sin son till välsignelse när en gång han vart stor.
Åt tiggaren Simon var arvet ämnat,
och i ruset var jag tacksam mot mor.

Jag har tiggt – en ska antingen råna eller tigga,
ej vackla av hunger framför höga hus.
I ett dike en stormnatt med en liter ska en ligga,
och se månen gunga i moln när en smälter sitt rus.
Utan far, utan mor, utan släkt vill jag vara,
se träden piska varandra, höra grenar gnissla som
hat.
Se moln som vänlösa män i ändlösa öknar fara,
när alla de snälla sova med sin Gud och sitt
kärleksprat.

Så underligt – i natt får jag värma mina händer,
vid din brasa får jag sitta som en svagögd gammal
hund
som jagat åt sig själv tills han mist alla tänder,
och utan att veta det väntar det vinande blyets stund.
Men jag vet att Han skall komma, Han som dräper
för att hela,
ur natten skall jag höra hans vingars sus.
Min daggiga bädd av jord skall han dela,
hans andedräkt skall släcka mina ögons ljus.

Jag älskade – ja, jag var från mina sinnen,
att minnas mina kvinnor är att röra i strö.
Du ber mig att vekna inför gamla, gamla minnen –
bara ett är hårt och heligt: när far skulle dö.
Det var bara mor och jag som höll vakan,
och satt där och älskade vad som fanns kvar.
Genom gluggen föll stjärnljus på slitna lakan,
och ute sjöng stormen avsked åt far.

En bror har jag haft – han var blek om kinden,
och hans ögon voro ljumma som utbrunna ljus.
Han låg på ett fattighus och lyssnade på vinden,
och yrade om solen och hedarnas grus.
Han väntade på vilan, för sjuk för att vandra,
för vek att bli min lustiga tiggarkamrat.

Och en gumma med rinnande ögon
satte fram hans skål med mat.

En dröm har jag kvar – jag kan ännu drömma –
på en myr vill jag ligga, mjukt mot dyn.
Över bädden av pors skall stjärnljus strömma,
och mina brustna ögon skola se mot skyn.
Över bittra örter skall vinden vina –
som en mask skola vandrande moln mig se.
På mitt beniga bröst skall månen skina,
och min puls skall stanna och min mun skall le.

HEMLÖS.

I natt har jag vandrat från Hedsunda by,
där jag fåfängt bönföll om hägn,
mina glappande skor äro tunga som bly
av träckstänk och midnattsregn.

Jag kom från tjuvarnas gråstensborg,
där min skugga var min kamrat.
Där var år av grubbel och månaders sorg
och nätter svarta av hat.

Ty jag älskade strid med sten och kniv,
och log åt jämmer och sår –
och till sist så tog jag en kvinnas liv,
och satt fången i långa år.

Och vid Kersnas tjärn, nedom Hävamo brant
jag ville ur livet fly,
när den drivande månens guld föll grant
över strändernas gungande dy.

Men inom mig är något som icke vill dö,
och som hatar att leva ändå –
det är bittert att kvävas i kvällssvart sjö,
och bittert att levande gå,

och känna hur eländet suger en ner,
tills man andas med bara hat –
fast solen lyser – fast sommaren ler –
det är bittert, bittert, kamrat!

VISA.

Min kärlek föddes i lustfylld vår,
på stränder av lekfullt dansande vatten,
och vildhonung drack jag i ungdomens år
på ängar våta av dagg i natten.

Min kärlek föddes vid Paiso älv,
där laxarna hoppa och gäddorna jaga.
Där vart den en visa som sjöng sig själv,
en vildes rus och en spelmans saga.

Den sjöd i mitt blod varje svallande vår,
pånyttfödd att locka och vinna,
den sjöng där all världen i vinrus går
och jord och himlar brinna.

Men aldrig mera älskar jag så
som i rosornas år, som vid Paisos vatten,
min kärlek är gammal och börjar bli grå,
och hittar ej vildhonung mera i natten.

VAKNATT.

I kvävande vaknätter ändlösa långa,
när minnen sticka som retade bin,
jag ber om en vårnatt igen av de många,
som eldat mitt blod till ett brinnande vin.

Jag ber om en vårkväll på rusiga ängar,
en enda – en lustarnas jäsande kväll!
En handfull av eldsgräs från vildsådda sängar,
en sängplats av mossa på Vagnbergets häll!

Bakom mig gå vallarevisorna höga,
och hos mig är ingen och ingen mig ser.
Förbrunnet är det som har tröstat mitt öga,
och längesen är det sen solen gick ner.

NÄR MOR DOG.

Stor sorg! sjöng vakan och flög mot skog,
när solen sänkte sig röd,
om sorg skrek ugglan och bort hon drog
från gården, där mor var död.
Tolv slag slog klockan i bondens gård,
där husfolk med knäppta händer
höll bön till Herran som vred och hård
sina bittra prövningar sänder.

Sov ut! sjöng göken i daggvåt lund,
när solen gick eldröd opp.
Och härlig var ängen i dagningens stund,
och våt varje rosenknopp.

Men tungt sov mor i skumhöljd sal,
och aldrig mer skall hon vakna,
och lemmar som vridits i kampens kval
få äntligen kallna och rakna.

EN STROF TILL HUCK FINNS MINNE.

Jag har rett ett läger och tänt en eld
på lövströdd lera och gulnat grus,
och nu räknar jag himlens stjärnor
och Illinoisstrandens ljus.

Jag har tänkt på domaren Thatcher
som har hand om mitt gula gull,
och lett åt Toms tant Polly,
och drömt tills månen var full.

I en paradisfläkt går vinden
kring Missouris förtrollade land,
och kring timmer och drivved porla
små vågor mot bokväxt land.

Det är natt kring gul Mississippi,
där de blommande bokarna strö
sitt fröstoft på ström som svallar –
det är rosor på Jacksons ö.

MINNET.

Vi gingo över Raiskis
frusna, vida vatten,

och sågo masugnsflammorna
från Romebergabron.
Och solen sjönk så sakta,
i stänk av guld mot bergen,
och sakta kröpo skuggorna
bland enarna på mon.

Som eld och ljus mig smekte
dina mjuka jungfruhänder,
i himlens kalla stjärnglans
såg jag ditt mörka hår.

Och het av lust jag smekte
ditt bröst och dina länder,
och fick av dig det heliga
som endast mannen får,

och nu är allt ett minne,
en saga från i går.

TILL MIN SYSTER.

Nu spelar vårens ljumma vind i myrens gula starr,
och sakta stiga sagorna kring ön i Berga fors.
Förlåt ett stänk av bitter fröjd, en visa till gitarr,
det starka oss till läkedom likt strandens unga pors.

En sång till däj, min syster, när all marken väntar vår!
Luossas ljunghed surrar yr av vind och vilda bin.
Där lärde vi oss tunga steg i våra yngsta år,
och ingen vet hur djupt vi drack vår barndoms beska vin.

Men härlig, härlig våren kom vart år i rosor klädd,
fast sorgens skymning sökte oss och blekte kindens färg.

En dag på knä för Konungen, en natt för skuggan rädd,
och sedan drack du salighet ur flod och fjäll och berg.

Kom ut, när stormen viner vild i apel, pil och hägg!
Se, vårens himlar brinna till Guds och stjärnors lov!
Och när du sövts till drömmar av resedan vid din vägg,
all ängens rosor ropa, kom ut till oss och sov!

EN GAMLING.

Jag fick bröd, men jag vet icke huru,
det kom liksom ovanifrån,
och jag byggde av otäljd furu
ett pörte vid Savonaån.
Jag åt bark med de mina om våren,
och till drick jag tappade sav,
jag timrade giller i snåren
och var nöjd med vad Herren gav.

Och min ende son han vart bonde,
och tog kvinna han liksom jag,
hon regerade mest som den onde,
och drev drängar med hugg och slag.
Och åt mäj, som var gammal och styvbent,
sa han aldrig ett hugnesamt ord,
fast jag timrat de hus han fått äga,
fast jag röjt varje tum av hans jord.

Och hans kvinna var vass som en skära,
och hans kvinna var kall som is,
och hans kvinna var tröttsam att svära,
och hon vart min ålders ris.
Och en dag stod en kärra på backen,
med en hösäck och bräde för två,

och för kärran stod tjuguårs Blacken,
och hans man var som aska grå.

Och jag tänkte, jag kan väl fråga,
vart färden gäller så dags,
men jag ville ändå inte våga –
att tiga är bäst till lags,
och jag teg och jag frågade icke,
och jag åt min välling i vrån,
och jag hörde på hela timmen
ej ett ord av min ende son.

Det var tyst med svära och träta,
det var ovant mot andra dar,
och när pojken min slutat att äta
så sa han, nu åker vi, far!
Är det högtid? Ska gamlingen åka?
Är det andra tider igen?
Men en vill inte fråga och bråka –
en får veta – får veta sen.

Vi stannade här. Jag är gammal,
jag orkar ej tala mer,
jag är liknöjd hur dagarna vandra,
och hur solen går upp och ner.
Men gott är vid fattighusborden
få ha som en orubblig tröst:
här är närmare djupa jorden,
och den fattiga skördens höst.

På min träbrits drömmer jag vaken,
på min träbrits med sparsam halm –
och tung är luften som livet,
som en mara är nattens kvalm.
Och fast han var hård mot far sin,
så längtar jag långt härifrån,
jag längtar att gräva i jorden,
åt min hårde, min ende son.

SYNER.

I.

Hon är rank som Hajsnas granar,
och som vågorna i Slomlam
gungande är hennes gång.
Hennes bröst har bäckens oro,
alla skumma skogars dunkel
skälver vekt i hennes sång.

Vit är hennes väg av solen
över bergen genom blommor,
genom ris på ljungröd hed.
Hett går hennes bröst av längtan,
gamla vilda vilsna visor
stiga vekt därur när solen
bakom Mattnas kamm går ned.

Och när jag är sjuk av oro,
och när natten kryper sakta
kring min bädd i Savos koja,
bär hon till mig hedens ljung.
Strör mitt golv med gula rosor,
löv från stränderna av Slomlam,
smeker mjukt mitt tunga huvud
med sin hand och viskar: sjung!

II.

Nej, jag kan ej, Marja-Lisa,
jag har glömt Kersandros sånger,
jag är icke värd din kärlek
och en dryck ur Savos sjö!

Jag har druckit bittra vatten,
skökors gift har jag i blodet,
jag har sålt mitt arv åt satan –
smek mig, Marja, jag skall dö!

Marja! Hör du mig? Var är du?
Fattigt klädda Marja-Lisa,
har du redan gått ifrån mig?
Här är mörkt vid furans fot.
Å – din röst var mjuk som ängsgräs –
kvar är natten – kvar är berget –
kvar är mörkret kring min panna,
tomt och grymt och svart som sot!

Marja – hör du dem – de komma!
Hör – de hetsa mig som hundar,
gråa, grova, lömska hundar
nosa efter mina spår!
Hör dem flåsa! Hör du kopplet –
de ha följt mitt spår från Tanra,
de ha snokat lystet hungrigt
genom alla dalens snår.

Lisa – sjung en bergets visa!
om du sjunger bli de rädda –
göm mig – här i skrevan – göm mig!
Hölj mig, barn, med ris och grus!
Å – du har gått bort att gråta –
du vart rädd för mina ögon –
ensam är jag – Marja-Lisa,
ge mig vatten – ge mig ljus!

III.

Vem är du i vita kläder?
Du är inte Marja-Lisa –

du är prins i någon saga –
kom du kanske hit på spe?
Tog du Marja-Lisa från mig –
å – nu vet jag, det är du som
botar synd och bor i kyrkor –
gå ifrån mig – Nasaré!

Tag ej mig till livets rike!
Jag är sjuk och spetälskäten,
ända in i iskallt hjärta
multna mina svarta sår!
Man skall kasta mig i mörkret,
man skall frukta mina ögon,
man skall ropa oren! oren!
framför mig varhelst jag går.

Har du rum i himlen höga
för ett barn av onda nätter,
rus och rosensmyckad trolldom –
har du livets bröd och vin?
Är du Gud och dock min broder,
mänska och ändå barmhärtig –
har du kraft ännu att driva
djävlarna ur än ett svin?

IV.

Han är borta, kvar är natten,
kvar är jag som ingen älskar.
Såren svida. Döden stiger
fram med handen lyft till slag.
Skogen mumlar. Mörkret tynger,
vinden viskar mulna minnen,
viskar mina sista tankar:
ingen dog så arm som jag.

PREDIKAREN.

Rubinsållad glänser brokaden
framför Ozmas bäddade rum –
men den vise är full av leda,
och hans blick är kall och skum.

Bakom förhängets röda skuggor
väntar nordlandets vitaste famn –
väntar Syriens skönaste sköka
på en konung som glömt hennes namn.

Över bordet av guld och rosenträ
darrar handen slapp och fin –
predikaren, Israels konung,
är trött av kvinnor och vin.

Kring kropp som tumlat i synder,
och törstande druckit allt,
faller manteln i hängande tomma rum,
och hjärtat slår sakta och kallt.

Hans slavar slumra stående:
han är vaken för länge i natt –
han skriver den vises ordspråk,
med ett stillsamt dödskallt skratt.

Predikaren är han – och konung –
det är allt den vise vet –
och om fånadens ande gör sällskap med hans,
det är ock fåfänglighet.

Det är gott för det myllrande folket
att akta på Herrens bud.
Och den som har hedniska hustrur
får offra åt hedningars gud.

Kring pannan gul gå skuggor
som regntorra moln kring förtorkad kust –
bakom huden en dödskalle grinar
sitt spe över människors lust.
– – –

Att vara en vis och att vara en dåre,
att vara en syndfull, en alltför rättfärdig,
är farligt och tokot:
min son, du skall skåda på Herrens verk!
Ho är som kan rätta,
vad han har gjort krokot?

FÅNGEN.

Tre trappsteg leda till solens port,
tre trappsteg av fuktig sten –
Jag får vandra dem en gång när bot jag gjort –
genom dörren av järn skall jag blek gå ut
och gråta i solens sken.

I min källarehåla jag talat med Gud –
han var så hög och hård,
han gav oss vreda och stränga bud,
men bländar med glansen av klädnadens fåll
in i nödens och brottens gård.

Tre trappsteg av synd har jag längesen gått,
tre trappsteg av bot äro mer –
jag skall vandra dem sakta år efter år,
och en gång skall jag bada mitt grånade hår
i en sol som aldrig går ner.

DEN DRUCKNE MATROSENS SÅNG.

Sjömanskrog i Hull vid H . . . street. Första och andra styrman på ångaren D a n a sitta vid var sitt bord med var sin kupa whisky. I ett hörn en drucken matros som sjunger för sig själv med rosslande röst.

FÖRSTE STYRMAN, sluddrande:

Lyft glaset från bordet och sjung, Tore Johnson!
Varför sitter du stendöv och tyst?
Jag har verkligen tänkt slå ihjäl däj, Tore Johnson,
för det du min hustru har kysst!
Tore Johnson, berätta, berätta,
hur det var när du kom till min hustrus hus!
Satt hon ensam och längtade, liten?
Var hon krånglig först – var det bara en gång?
Var hon het, var hon retsam mot däj?
Och en sak vill jag veta, Johnson:
fick du kyssar d ä r för helvete, säj!

(Gråtande, med huvudet i händerna.)

Varför tog du, Tore Johnson, min hustru från mäj?
Jag som slitit för min sängplats från Kap till Hull –
Minns du natten vid Holy Hook fyrskepp?
Hög sjö – hunger – och månen var full –
la – la – la – och du var då min tappraste vän –
och tänker jag efter, Tore, så kanske du är det än.

(Snyftande våldsamt)

Och jag skall nog bli glad åt hennes kropp,
du vill väl ha det så?
Men det blir värst att få lov se in
i hennes ögon ändå!

DEN DRUCKNE MATROSEN sjunger:

Hon har så blåa ögon, så djupa blåa ögon,
hon vart min stackars hustru när natten den föll på.
Hon såg på mäj med ögon, så våta, vilda, vilsna,
hon svor mäj tro med ögonen, med ögonen de blå!

FÖRSTE STYRMAN:

Tig – för helvete!

ANDRE STYRMAN:

Och så har han förlåtit mäj och kallar mäj sin vän –
men det är värst att jag inte törs se in i ögonen!

FÖRSTE STYRMAN, våldsamt skakande:

Men varför ser du ner, Tore Johnson?
D i n a ögon törs jag se, ändå!
Men din blick är ju sjuk som tyfus,
och pannan som malaria grå!

Nu finns det fyra ögon i denna lustiga värld,
som jag aldrig törs se in i mer –
Två stirrar mot krogens slaskiga golv,
och två drömmer vid egen härd.

Fyra sjuka ögon, och min enda vän har jag mist,
och allt har gudarna skickat mäj sen jag var älskad sist!
Du hav som tar våra krafter och saltar vårt fattiga blod,
om du vill ta mina vänner, då vore världen god!
Men min hustru tar dem i stället, och jag är en ensam
man,
som får älska whisky och hamnhotell och skökor så gott
jag kan.

DEN DRUCKNE MATROSEN sjunger:

Så följ mäj bort i hagarna och älska mäj som fordom,
och älska mäj med ögonen, med ögonen de blå!
Ditt hår är svart som natten, men tron i dina ögon
skall lysa mäj på vägarna varhelst jag ensam går.

FÖRSTE STYRMAN:

Tig – för helvete!

(En klocka ringer. En uppassare släcker alla gaslågorna utom en. De två stiga upp och ragla ut från krogen. Den druckne matrosen följer efter dem.)

DEN DRUCKNE MATROSEN sjunger:

Och stjärnor och sol skall slockna förrn min Anna sviker mig,
hon har lovat evig trohet på livets tunga stig – –

FÖRSTE STYRMAN:

Se hit, Tore Johnson, får jag se dina ögon,
är du rädd, din stackare, för fan, se hit!

ANDRE STYRMAN
stirrar fånigt in i kamratens ögon:

Här har du – du ser jag törs, och säj, hur ser dom ut?
Är dom inte som vanliga ögon och är inte vitan vit?

FÖRSTE STYRMAN:

Å, som sjuka sumpar, där tidvattnet runnit ut,
förbannade kvinns som ej väntar ens
tills en femveckors resa är slut!

DEN DRUCKNE MATROSEN sjunger:

Hennes ögon kan ej ljuga, hennes blick är ren som guld,
och blå som vårens himmel, en själ förutan skuld!

FÖRSTE STYRMAN:

Tig – för helvete!

(De försvinna i en gränd. En trasig och ensam gatflicka ser lystet och väljande på dem, och försvinner nedåt en tvärgata arm i arm med den sjungande matrosen.)

VÅR DÖDE VÄN.

Skyggt såg du ofta omkring dig, du som fruktade ingen,
bottenlös blick ville borra sig genom och bakom tingen.

Frågande log du åt det som fromma och hädare trodde,
hemlös log du åt hem där mätta belåtna bodde.

Bar vid ditt hjärta i nätterna de hemlösa själarnas fasor,
log mot det välklädda lugnet, själv klädd i trasor.

Allt som växt brett blev smått för ögon avgrundsdjupa,
sökande irrade du där starka i vansinne stupa.

Skränande skrik av narrar hördes dig livet i drömmen,
där mot döden du gungade, strå bland andra i
strömmen.

Drevs bortom världarnas gräns, till hav som ingen
känner,
ser med ögon som fråga ännu på oss dina vänner.

PURGATORIUM.

I natt har jag drömt att allt gott jag glömt
och mördat min bäste vän,
och den hand som slog, tills klibbig av blod,
kunde aldrig bli vit igen.
Det som slumrat djupt, slagit våldsamt ut
i giftig, stinkande blom,
och jag fruktade allt, men fruktade mest
den bäste vännens dom.

Jag handlat hårt, mitt fel var svårt,
och jag kallades hopplös bov,
och av hatets köld min själ sögs ut,
som en spindels sprittande rov.
Och när alla sport, hur ont jag gjort,
och hopen trätte vred,
då gick jag allen i stjärnornas sken,
och såg mot jorden ned.

Som vi minnas lek och kärlekssmek
i vår ungdoms vita vår;
som vi minnas skratt ur det gångnas natt

i älskandets heta år;
så mindes jag alla glada lag
i timmar av drucken fröjd,
då dag vart natt i vin och skratt
under stjärnor i himlens höjd.

Och en röst av en man från ett okänt land
kom till mig i vindens vin,
och jag såg hans blick och den var så hård,
och så bittert ond som min.
Och ansiktet var som mitt ansikte var
på min gärnings förbannade dag,
och jag visste då att kött av hans kött
och ben av hans ben var jag.

Och han sade: allt hederligt smått och gott
hör endast vardagen till,
men den vilja är stor som törs vilja tvärs
emot vad mängden vill.
Och du som haft mod, att ej vara god,
och som hellre är svart än grå,
du ensam bor, i ondska stor,
och ditt namn skall aldrig förgå.

Du skall leva ändå under himmelen blå
som ett nummer i mörkrets här,
dina vänner som skuggor irra kring dig
och synda här och där.
De synda med glädje, synda av lust
i villsam och öde natt,
de avla av hat och förgiftat blod
sina barn under ondskans skratt.

Och jag svarade strax: det är lögn vad du sagt,
det onda var aldrig sant,
din röst är ej tröst för darrande bröst
på helvetets ytterkant.

Jag drömmer om reningens vita eld,
att den själ må brännas stor,
som bannad av mängdens kvinnor och barn
till dödens rike for.

Jag tar hellre emot hela hopens hot,
och jag gråter hellre än ler,
och jag längtar att dö men att straffas hårt
jag längtar ändå mer.
Och jag tror att när straffet stoftet strött
över mördarens multnande ben,
är det hopp ändå, är det tröst också
att hans själ skall brännas ren.

Din röst är en lögn, ditt land en sump,
som rinner till eländets äng,
din tröst är ett sken från en evig eld,
och din bädd en glödande säng.
Men jag går till en plats som du aldrig sett,
och dit vägen bär emot –
jag går att bikta min innersta synd
i natt vid korsets fot.

Jag gick och vägen var hård och lång,
och jag kände jag lidit nog,
när vid nattens slut jag irrat mig ut
ur berglandets suckande skog.
Och allt var frid och ny var all tid,
i en morgon av glimmande ljus,
och min väg var en äng där i rosor höljts
allt grovt och besudlat grus.

Och korsets herre regerade där
med sin vithets lågande hand,
hans klädnad lyste var syndare väg
i sol över paradisstrand.

Och min mördaredräkt för en vårens fläkt
i trasor revs och föll ned
och konungen lyfte sin härlighets hand
och sade stilla: bed!

Och jag bad och såg upp mot en värld av ljus
med ögon utan skuld,
och en eldslåga ren genom rymden ven,
och jag brann i en sky av guld.
Och en grav blev grävd på en blommande äng,
åt min aska byggdes ett hus,
och min kropp brann ut och jag vart fri,
och försvann i ett hav av ljus.

ANGELIKA.

Jag hörde basunen ropa, jag hörde orkanens sus,
och jag gjordade mina länder och steg upp ur gravens
grus,
i glansen av solen svällde mitt bröst, min arm vart stark
och fin,
och österlandets ljuvliga vind göt i mina ådror vin.

Från valven öste de varma regn, mina trasor sköljde de,
och nya ögon öppnade jag att domedagsglansen se.
Och med mig var min Angelika, som jag älskat och
älskat så,
men som på grund av ringa stånd jag ej var värd att få.

I trettio dagar väntade vi, men turen dröjde ändå,
och vi njöto av jordens nya vår och av himlens gamla blå.
Till sist tog jag mod och stegade fram, och lyfte min nya
hand:

”Mitt namn är William Andersson, och min synd som
havets sand.

Och det här är min Angelika, som jag älskat och älskat
så,
men som på grund av ringa stånd jag ej var värd att få.
Vi var väl så gott som gifta, fast i djupaste hemlighet,
och vi sveko väl inte varandra, åtminstone som jag vet.

Men all vår synd var av köttet, det kött, som är ej mer,
och anden dömer ej ande, för det som av kroppen sker.
Och dina de minsta bröder jag ofta, ofta mött.
Jag var hungrig med dem, som hungrade, och med de
trötta trött.

Vi ville ibland ej äta bröd, när ej alla bröd kunde få,
och det var av anden, Herre, det medger du ändå?
Vi lyssnade efter änglars sång och hörde de döendes
rop –
Ja, Herre, vi hjälpte varandra, och vi svulto allihop.

Och ibland kom små, små kvinnor till oss i nödens natt,
och sådde i lägret som hungrade sina blommande små
skratt.
Och vi togo dem, och med dem vi klämdes i armod ner,
men det var av kroppen, Herre, den kropp som är ej
mer.”

Men ur roströd gata vid Ebals port, nu satan närmade
sig:
”Ja, Herre, de gräto och gåvo nog, men det var av
fruktan för mig.
Men jag ber dig, fråga dem, Herre,” sade satan och djupt
han neg,
”vad de gjorde de ljusaste nätterna, när all deras fruktan
teg.”

Jag ropade: "Herre, vår fruktan låg under och morrade
dov,
den åt oss när vi åto och skrämde oss när vi sov.
Av ångest vi dräpte varandra, av fruktan för svält vi stal,
och vi levde ibland försakelsens liv för löftet om himlens
sal."

Men Herren sade: "Jag vet det där, kanske vet jag bäst
till slut –
man lär sig något en årmillion, när man visste det mesta
förut.
Er kärlek var av feghet, er rättfärdighet för gunst,
och det enda ni gjorde när fruktan teg, det gjorde ni av
brunst."

Och jag svarade: "Anden ville nog, men köttet ropade
nej,
och sällan när köttet syndat ville anden ångra säj.
Jag tror de hjälptes åt, de två, att dra oss till Ebal ner,
men det mesta var nog av kroppen, den kropp som är ej
mer.

Vi var på det hela taget ett lortigt och underligt pack,
och kroppen låg om vår andes fot som en tung och
skavande black.
Och nu ber jag om domen, Herre, om ditt eller
skammens land –
Mitt namn är William Andersson och min synd som
havets sand."

Men Herren sade: "Tag din mö, som du älskat och älskat
så,
men som på grund av ringa stånd du ej var värd att få.
Jag tror jag prövar er än ett tag under sommarhimlen
blå,
och nu så är jag trött på er, och ber er alla gå."

Då gingo vi alla bort igen och domen försvann som rök,
vi slogo oss ner i Mamres lund att göra ett nytt försök.
Men jag hörde satan skratta vid roströd gatas port,
och han skrek: ”Du fick Angelika för allt du av feghet
gjort!”

KVARNSÅNGEN.

I.

SPINNERSKAN.

I stugan vid Raisos svarta berg
jag gästat en enda gång,
där sitter en gammal kvinna
och spinner dagen lång.

Hon spinner åt folk som i Storbyn bor,
medan dagen i skymning går –
med skrumpen fot hon trampar sitt hjul,
och rullen smäller och slår.

När den gula förtvinade handen
är av darrande spånad full,
gå minnen som gråa drömmar dit
och tvinnas bland brokig ull.

Och dit gå varma vårar
och somrar med rödaste frukt,
och blandas om till snyftande gråt
i rummets unkna fukt.

Jag hör hur plankdörren ruskas hårt,
när västan larmande går,

och ser den döende dagern
kring den gamlas vita hår.

Jag hör ett tal från darrande ben,
en sång från surrande hjul,
en sång om en slipande kvarnsten
i spinnerskans mörka skjul.

Och även jag har en surrande sång,
som jag sjungit sen jag var barn.
En sång om en rolös dåre,
som slipar sig själv på en kvarn.

II.

KVARNSÅNGEN.

”Jag är ensam och tungt står mörkret
som en skuggornas mur kring mig.
Gamla benkvarn, sjung för en vänlös –
jag vill tala med döden och dig!

Men du kan bara visor om ben och blod
och jag ligger här sjuk vid din skakande vägg –
jag vill minna mig jorden och himlen blå –
Å – härlig var jorden ändå!

Du kvarn – du är vis och av åren
skorrar din rostade röst –
jag skall höra din visa och vila
mitt stackars slocknande bröst.
Jag har lekt i den blommande dalen –
jag har byggt – små kvarnar också –
och dansat bland fjärilar ängarna fram –
Å – härlig är jorden ändå!

Och nu förstår jag din sång – din sång för en
som dör –
så lyssna då – svarta skuggor –
nu sjunger hon – – hör – hör!”

Bullra runt och darra hårt i pina
benen dina
damma ut och blåsa bort i skyn!
Rulla runt med ben som vita skina,
benen mina
rullas bort och grävas ner i byn!

Dansar du en gång i solen fina
när vindar vina,
äter, hungrar, ler och gråter ut,
så slipas du till sist på stenar mina,
suges in att malas utan slut.

”Du är grym och din sång är av satan –
jag orkar ej höra dig mer – –
hur kom jag sjungande solbarn
i det bitande dödsmörkret ner?
O, herre, om dagen är liden,
så släck mitt rykande ljus –
låt mig slippa allt liv – låt mig sluta
i de dödas multnande hus!

Tig, kvarn, du borrar mitt huvud
med ditt hamrande helveteshån –
och E n har ju dött för syndare –
jag kan ropa på jungfruns son!
Men han hör ej min röst för ditt gnissel,
jag skall be – när du tröttnat att gå – – –
Å – jag minns när jag först var älskad –
och härlig var jorden då!”

Tumla runt och rulla blint i pina,
synder dina
dansa dödens dans tills du är all,
stampa, tjuta, skära tänder sina – –
gläfsa över graven hesa skall.

Slipas hårt och rulla runt och rasa,
stackars trasa!
Vilja andra ting än kvarnen din.
Dömd att rullas om och in i fasa,
i slamsor frasa – –
veta vart du skall och inte vilja in!

”Tyst, gamla – ty härlig är jorden,
i den höga himlens glans!
Där gunga de röda rosor
i den glada västans dans.
O, sol över rusiga ängar,
lys dem som dansa i byn!
Se – på senigt spända vingar
där flyger en örn mot skyn!”

– – slita sönder alla kräk som drömma,
som kvarnen glömma,
yra feberhett om himlen blå – –

”Å! härlig är jorden ändå!”

– – surra hjul och fors, du grymma, strömma,
inte ömma
döda ben som utan oss ej gå!

Slunga kring dem, gnissla, slå och stöta,
flå och nöta,
knacka dem till jord i hjälplös natt!
Hamra skallar, ve, av tårar blöta,
skratta bort dem med vårt vassa skratt!

”Men barnets lekar i hemmets hägn,
ha stänkt mitt hjärta med vårens regn –
och härlig är barnets sång – –”

Skramla gamla stenar mot varandra,
vandra, vandra!
Vi suga in och slita av!
Jämra, bita vasst och morra, skälla,
tjuta som schakaler på en grav.
Bullra hårt och darra runt i pina –
mala hjärtan, händer,
mala ögon dina.
Stöna du i ångest, skallra tänder!
Ropa du till Gud och sträck du dina händer!
Sträcka ben du skall och dansa kring och bli
till jord igen och rullas bort och grävas ner
och glömmas av –

”Så låt mig blott se glansen
av solen som går ner – min sista – –”

och aldrig känna glädje mer –
nu börjar dansen!
Och sörj ej du: ett liv är till att mista,
vi skratta gällt när onda ögon brista – –

”Fräls mig från kvarnen – Gud – –”

– – vår kvarn är vindarna, vår kvarn är haven,
vår kvarn är livet och vår kvarn är graven,
vårt hjul är tingen du har köpt och älskat,
ditt guld, din kärlek, masken i din kista –

”Men fräls min själ – –”

vi göra bara stoft av ben som brista.
Vi bullra hårt och darra runt i pina
benen dina!

Vi damma ut och blåsa bort i skyn!
Och när vi tystna skall en annan sjunga,
vi rulla bara bort att grävas ner i byn!

”I en gränslös och evig tystnad
den skorrande sången dör – –
för en död som famlar i mörkret
nu sjunga de heliga – hör!

Det är som jag bures av böljor,
ett mörkt och svallande hav mig för
mot en strand som sjunger av solvitt
skum – – Hör!”

Kör från ovan:
”Vila, pilgrim, ditt bröst mot strömmande vatten.
Hän till dagningens land går din väg över hav
genom natten.
Slut dina ögon – stormsången söver!
Hav som svallar i mörkret skall bära dig över!

Trött var ditt öga att se allt och hjärtat skälvde,
ängsligt vred du händerna framför
våg som sväljande välvde.
Kvar i kvarnen du lämnade gubbar och lystna tärnor,
jättevågen skall lyfta dig högt mot himlens stjärnor.
Slut dina ögon stormsången söver –
hav som svallar i mörkret skall bära dig över!

EN TRÖSTESAM VISA TILL IDEALISTEN OCH LÄRAREN ANGELMAN.

Den brännvinssupande spelmannen Bogg går en dag landsvägen fram med sin fiol och finner sin före detta lärare Angelman sittande på vägkanten med en butelj. Angelman gråter över sitt trista öde, varvid Bogg stämmer sin fiol och sjunger följande visa på en gammal valsmelodi:

Vi, Angelman, är du så sorgfull i hågen, fast Spaniens vin
 i din hals du har hällt?
Du sitter som död under flygande skyar, din tomma
 butelj du på vägkanten ställt.
Din ungdom är gången, din Gud haver gömt säj och kvar
 är den herrn med ett horn och en klöv –
du liknar en margran som torkar i täkten, så rivande ful
 mellan klibbande löv.

O säj, var är kransen av konstgjorda rosor du band däj i
 dagsljus och stigande sol?
Den dryck du bjöd ut åt all världen att svälja förnekade
 du innan hanen gol.
Men Angelman, lyss till en vän som förstår däj, när
 brusten, bedragen du smälter ditt rus,
allt medan all himmelen över din hjässa står klar som
 kristall över byarnas hus!

För jordisk var flykten mot himlar som blåna och låga av
 rosor och paradissång –
du sitter och snyftar när bittert det kvällas i salar som
 fyllts av din visdom en gång.
Jag hört på vart råd, vart ord ur din strupa likt brokiga
 fåglar mot salstaket flög.
Jag såg ock den rådlöses glans i ditt öga när ömt din
 butelj som ett dibarn du sög.

Och snart ska din släkt hälla granris på backen och
gunga däj fram under gnolande trän.
Beskådad och fattig och tvättad och naken du vinglar
mot gnällande grindarna hän.
Det goda du gjort här i världen var ringa, en säck full av
väder du liknade mest.
Du multnar och spricker där bärarna vända, sex fot
under skorna på socknens präst.

Hur går däj, när en gång all himlarnas Herre med
världar till domssal och stjärnor till tron,
för gärningar gjorda mot arma och nakna ska döma
envar efter hans person?
Men kanske du hemligen knäböjt i natten och skyggt bett
den okände gälda din skuld?
Säj, skönjer du staden som icke har nätter, där muren är
jaspis och gatan av guld?

Då knäpper jag sakta en sång på fiolen och dansar av
fröjd på din jordröda mull,
jag sjunger, han är icke död, men han sover och drömmer
om kronor av törnen och gull.
Hans trasiga själ bliver tvättad i stjärnljus till skäraste
silke vid harpornas brus,
de bränna hans skam till en aska för vinden, att ren han
må vandra till Herrans hus.

JAG HAR DRÖMT . . .

Jag har drömt jag skulle sjunga vad jag känner,
hur jag hatar, hur jag älskar, hur jag bannar, hur jag ber,
hur i vanvett jag flyr från mina vänner,
och i mörkret till den okände ber.

Jag har drömt att jag en visa skulle sjunga,
om alla själarnas fasor, alla himlarnas ljus,
om när all världen jag ser dansa och gunga
och darra i dåraktigt rus.

Jag har drömt, att när alla stjärnor skina,
över vildmark som viskar, vad i ensamheten hänt,
att alla vindar som kring tjärnlanden vina,
skulle lära mig att kväda vad jag känt.

Jag har drömt att en liten, liten kvinna,
skulle söva mig med visor, skulle smeka mig med skratt,
och när allt som jag byggt måste brinna,
skulle följa mig i elddopets natt.

Jag har tänkt att alla jagande åren,
som ha dödat det jag älskat, som ha stulit vad jag fått
skulle lära mig en visa om våren,
som har bott hos mig och bländat mig och gått.

Jag har trott att alla stormarna som rasat,
i min själ skulle blandas till en vansinnig sång.
Att där jag snavat över helvetet och fasat,
jag skulle lära mig dess visor en gång.

Men se mitt solur mot middagen skrider,
och aldrig har jag sjungit vad mitt hjärta har bett!
Skall jag sjunga först i dödsskuggans tider,
när det ändlösa mörkret jag har sett?

Skall jag leva tills jag lärt mig att smida
alla rosor, alla fasor till en levande ked,
som skall skälva som en rusig och glida
som en stråkton i dödsmörkret ned?

VAGGSÅNGEN VID KESTINA.

Jag är bara en gammal och tröttkörd man, och dör utan
kält och knot,
under eget tak fast det kostat, och är svart av år och sot.
Det är värst med alla ungarna – men dom har inte svultit
än,
och hö har vi kvar så vi klarar oss tills backen blir grön
igen.
Så korna slipper att svälta – och så länge har barnen
mat –
dom är inte mina, dom barnen, men mitt hjärta har inget
hat.
Jag slogs för mina i tretti år – och sen så fick jag er,
men det är som om plågorna lärt mäj att inte förbanna
mer.
Den där gamla vaggan av furu som jag gjorde vid tjugu
år,
den dundrar i mina öron – å Gud vad den går och går!
Den maler så grovt som Brännby kvarn – ett buller som
nästan bränns –
att få barnbarn så här, ska jag säja, är ett nöje som skär
och känns.
Och har vi gjort rätt för det här, då räknar du noga, Gud,
då tar du bra höga böter för brott mot ditt sjätte bud.

Det kvittar mäj lika, nu dör jag, dom får klara säj bäst
dom kan,
och stoppa morfar i leran och skaffa en äkta man.
En? Tre eller fyra minst, för att klara eländet ut –
men den yngsta hon spottar visst blod – på henne är
lungorna slut.
Hon gjorde rätt för säj och sitt barn – men hennes tid var
kort,
och ungen hennes har skrofler – – å Herre, skrapa oss
bort

som mögel ur träcken och kärren, och låt oss få krypa ner
i den kalla och stillsamma myllan, där ingen hostar mer.
Jag köpte det här, jag har kravlat mäj fram, jag svalt, och
dom svalt mest.
Och det sista av skulden betalade jag när den yngsta läst
för präst.
Och pojkarna mina var stora då – jag tror dom redde säj
bra –
dom kom hem och gav far sin brännvin, för något måste
en ha.
Jag har aldrig köpt för ett öre sprit, jag drack om någon
bjöd.
Det ska ingen kraxa om drinkare när Paljaka-Anders är
död.
Och den som predikar och straffar, när en urblött utnött
man
blir glad av brännvin och dansar, är en präst som inte
går an.
Men nu är det slut med dansa – jag var glad när den
yngsta var stor.
Det liksom lättade litet en stund, både för mäj och mor.
Jag slutade gå i gruvan, jag bröt rötter och sprängde
sten,
fast jag redan var vit i skägget – det finns seghet i gamla
ben.
Dom håller, fast köttet ruttnar – nu var täppan skuldfritt
min,
och då kändes det djupt som ett yxhugg när den yngsta
kom hem med sin.
Och jag bannade henne en vinter, sen teg jag, sen
väntade jag
på en strängare, vassare årstid, en tyngre och gråare dag.
När den äldsta kom hem med sitt bylte vart det kallt för
mäj, fast det var vår.
Jag drog fram den där dammiga vaggan igen – och då
var jag sjuttio år.

*

Jag tyckte jag gick i den dimman jämt, som står över
Brännby myr,
jag tyckte jag fick den i mig med vart andetag jag tog.
Dom här grova händerna skakade – dom är gula och
vissna nu –
Dom är veka, nästan som Gretas, som syr och syr . . .
Men jag rymde en gång från helvetet, jag gick till Kaljos
slog –
Det var då . . . det var vår, det var vitt av blom.
Och nog kände jag suset av vädret som varmt över
backarna drog,
men det var som en dröm, och mitt huvud var tungt, och
mitt bröst ville rivas itu.
Och jag vart som den tokiga Lasse, som ibland fick äta
hos oss,
han som sprang och viskade, gick och gick, som en
älgtjur dag och natt.
"Dom kommer, dom kommer!" sa han, "nu snart så
hinner dom fatt!"
Han sprang ifrån maten hungrig, han var rädd för de
döda, förstås.
Jag var inte rädd för det döda, jag var skygg för det
levande, jag.
Allt som levde och kröp och krälade och var hungrigt och
pep och skrek.
Det kom efter mäj, myllrande, flåsande, det snärjde kring
mina ben,
"nu tar vi däj, gubbe"! väste dom, "du har klarat däj all
din dag,
men barn ska du ha när du grånat – köp mat du, och vila
sen!"
Men jag skrek "hoj hi, alla djävlar ur kärren, nu gick ni
för bitti ur säng,
om ni tänkte att Paljaka-Anders kör bet fast vintern blir
satans sträng"!
Och jag knöt dom här tjärbruna händerna, och jag stalp
på knä och svor,

och jag sa till Gud, du som skapat oss, döm bäst du vill
för hor!
Och jag grät där mellan häggarna där Luossas rågång
går,
jag såg opp och jag kände mäj nästan ung – och då såg
jag att det var vår.

*

Det är eget hur det vänder säj, var ens kraft kan komma
ifrån.
I lungsot ligger hon med sitt barn – och lungsoten tog
min son.
Den äldsta – det var fabrikens fel – och Bannbergs bolag
sa nej,
när jag ville ha hjälp till sjukvård – men jag knäcker
ryggen på mäj,
förrn jag går till de högas kontor och ber om det allra
minsta råd.
Jag kan krypa på knä för en tiggerskas barn, men inte för
herrarnas nåd.
Och jag kröp på knä på mitt åkerland, jag tog allt i egen
hand,
och täppan äger jag skuldfri än, och råg och potatisland.
Det var värst med att bärga fodret – sju veckor det
nästan tog,
innan sista höbrean hässjats på min steniga härbackslog.
Och vintern kom, jag gick ute, bröt sten och högg min
ved.
Och jag lade mäj sent var natt, när det blivit en smula
fred.
Jag kände det var på slutet, jag orkade inte mer,
jag tyckte jag var som ett billigt ur som gått och gått och
gått ner.
Jag kan inte ligga och tänka på allt det svåra som hände
sen –

det är ledsamt med lungor som sluta, med hosta och
skinn och ben –
Jag ligger här bara och tänker, hur alla sin mat ska få –
det är liksom kärlek jag känner, fast det kanske ej synes
så.
Jag sade nog hårda ord ibland – en vet knappast av att
det sker,
men när tredje förbannelsen skrek i mitt hus, sen sa jag
ingenting mer.
Jag tog det för Herrens vilja, jag böjde min rygg och grät,
men jag kämpade dubbelt i kölden och snön – säj, Gud,
om du såg hur jag slet?

*

Det var som om kärrens råa dunst gått in och gjort kallt i
mitt bröst.
Det skymde för synen, jag stapplade tungt, jag visste att
det var höst.
Det var vinter kring oss – jag släpade mäj, som en utter i
djupa snön,
jag högg ved där kolvägen slutar, en mil norr om
Hörkensjön.
Jag skalv i den stickande vinden, och min yxa föll tungt,
men hårt,
mot björk som stalp i bröstdjup snö och bökade ner säj
svårt.
Jag kvistade opp, högg av och drog, med tänderna bitna
hop,
och åt min bit och vilade mäj i lä i nån rotstälpsgrop.
Jag tyckte jag liksom var kvitt en del, det var rosamt att
sitta här,
när de dånande vädren rullade över Bobergs skogiga
skär.
Jag slapp att se de små som skrek och en mor som
hostade blod,
och jag tänkte, han ger mäj härute sin ro, vår Herre, om
han är god.

Men en dag stod allt liksom stilla, jag släppte yxan i snön,
jag fick krypa fram genom drivorna, och jag tänkte, det här är dön!
Och kanske jag aldrig sagt dom att jag inte hatade alls,
fast eländet höll som en länk av järn kring min sjuttiåriga hals.
Att jag unnade alla att leva, att jag älskade allihop?
Hur ska dom få veta det nu, om jag hittas kall i min grop?
Men jag somnade där i snön, och jag vaknade här en dag,
och jag tyckte jag låg och leddes åt en hammares gälla slag.
Jag hör hur det hamrar och hamrar – jag vet inte vad jag ska tro,
tills jag hör på rösten av mor, som sa, ”säj, människa, kom det blo?”

Men nu är det näst förut med mäj, jag får inte fram ett rop,
det är inte bara vaggan som går, nu vaggar alltihop.
Det är feber tror jag, jag har, jag önskar Pers Jan var här,
han ska göra en lag av brännvin och mjölk och saften av jungfrubär.
Han kan läsa ett Fader vår också – jag har skrattat åt trolldom jag,
jag har sett liksom lite för mycket av konster av alla de slag.
Men när det vill mörkna kring sängen, och en blir tung och trött,
och dom liksom turar att vakta en, alla uslingar som en mött –
Ja, jag vet att det där är skuggor, men en är int så säker mer,
när den gungande resan går utför – bara ner och ner och ner –

Var är jag? På vägen till Kaljo, säj, mötte ni pojkarna
där?
Dom ska komma och hjälpa mäj bära – det vart litet för
tungt, det här.
Nu kommer dom, nu, tänd torrveden, pojkar!
Sväng blosset! Det tar säj, det ljusnar!
Stå stilla och lys mäj – gå med mäj på vägen –
å, satan, så'n ståt, sex bloss, som går fatt en,
nu tre på var sida – nu marsch ut i natten!
Ni stannar hos Backens – ställ blossen i snön!
Och sen är jag ensam igen – det är långt över
Bannbergasjön.
Det är långt, det är långt att gå,
men jag vill inte stanna hos Backens,
jag ska hem till mina små.
En sup kan jag ta, men sen får det vara,
tack pojkar, den värmde – se, blossen står kvar,
och brinner i snön nu när dagningen faller –
Å, satan, vad grant, vad grant! Det lyser, det smäller och
viner,
och sprakar med bollar av blått – och det skiner,
som norrsken långt mellan granarnas galler –
Det var sex som brann – som följt Paljaka-Anders på
vägen,
och himlen är grå, som en kupa av tenn –
Tack pojkar för supen, för nu är jag hemma igen!
Hör – mor, är det någon som hör mäj?
Jag kan inte tala mer,
det lönar lite att stirra
med ögon som inte ser –
Jag vill veta om jag ropade, hör, mor, är klockan tolv?
Vad är det för bullrande vagnar på mitt kvistiga grova
golv?
Å, det är bara den gamla vaggan –
å, Gud, vad den går och – går –
jag tog ner den ur skräpet på vinden,
och då var jag sjuttio år.

Dom sjunger – en visa vid vaggan,
det är – –

”Tussilullan barnet mitt,
sov å sov å sov i ro.
Lullan går och lullan går och sov i ro å ro å ro,
susa gran å susa tall när lillan går i vall i vall,
med hatt av löv och näversko,
å lötar alla gröna fall,
ro – ro – ro.”

GILLET PÅ VINDEN.

Jag satt på min ödsliga vind en kväll och beskådade
ängarnas höst,
och läste och tänkte på Jonson som i fjol fick ro för sitt
bröst.
Har han fått en hydda att bo i i de blånande rymdernas
damm?
Eller går han kring täkten och spökar och vågar säj inte
fram?

Då lyste det till som stjärnor, det vände ett blad i min
bok,
det ljusnade kring min skumma vind, och jag tänkte det
var på tok:
nu har gamla Johanna somnat och elden är kommen
lös –
och fastän det var fråga om hetta så tycktes mäj jag frös.

Det var i den skummaste natten, det var mellan ett och
tolv –
Det rörde i mina papper och det tassade kring mitt golv.
Och en vinande ånga blåste på hundraårsåsarnas damm
och si, ur den vaggande ångan klev Jonatan Jonson fram.

Och jag sade: ”Det gläder en yngling att du tagit däj
ända hit,
det är som en helg på min fattiga vind att skåda sån visit,
och om inte du ändrat vanor så tag ett glas med en
gammal kamrat,
för gamla Johanna har lagt säj, så det blir klent med
mat.”

Och han svarade: ”Att få se däj ren länge önskade jag,
men villsam är vägen i rymderna bland stjärnor av alla
de slag.”
Vi satt vid vårt stora mangelbord och stormig var natten
och fin,
och jag väckte upp Johanna och sa till om öl och vin.

Till sist jag smög en fråga litet blygt och stammande
fram:
”Jag undrar – säj, är det historier, det där om vår Herre
och Skam?
Får bara de renaste helgon på de saliga öar bo?
Och finns det inga himlar för dom som är klena att tro?”

Och han sa: ”Jag är timmerman Jonson och föga lärd
som du sett,
och jag väckte bekymmer på jorden för mitt självlärda
timmermansvett,
och de lärda ville hänga mäj, för jag kan ej ett ord latin,
och en ängel tog så fort jag dog och gav allt jag läst åt
hin.

Men jag hörde en sång på en stjärna en gång, som jag
minns en smul av än,
det var sången om pinan av världarnas synd och om
Herren av himmelen.
Men en stjärnornas sångare sade mäj att det där var en
jordisk sång,

som en ängel lärt för övnings skull när han hämtat en själ
en gång.

Och den allra högsta sången, den sjöngo de efteråt,
och fast jag inte begrep ett ord, jag brast i en hejdlös
gråt –
det var utanför alla hjärtan och en stjärnbana framför
allt vett –
det var vad intet öra hört och intet öga sett."

*

Och månen lyste och stormen sjöng i luckor och ås och
knut,
och vinet var gammalt och ölet starkt och min fröjd var
utan slut.
Vi drack för den dödande hösten och för gravarnas heliga
ro,
och vi drack för alla de saliga som på höga stjärnor bo.

Jag såg hans panna lysa som silver, snö och ben,
och sakta, sakta, dracks han upp av månens strömmande
sken.
Därute började morgonen alla ängar i grånad klä,
och stormen röt sin hårda sång genom gavelväggarnas
trä.

EFTERLÄMNADE DIKTER

TILL MIN LÄNGTAN.

Du är livets bröd och vin och du är drycken som kan
döda,
från det gamla ur det gångna i mitt blod du droppat ner.
O, du läker deras fötter som bland törnena förblöda,
du är sändebud till honom som i ensamheten ber.

Vart du för mig vet jag icke, om till djup, till himlar
höga,
men du viker ej ifrån mig förrän jag är stoft och mull,
förrän tung och kylig jord har täppt igen mitt brustna
öga,
förrän sövd av dina sånger jag på vägen stupat kull.

Du är min, o drottning Längtan, aldrig tröttnar du att
kalla
och att tyst och heligt stilla vid min bädd i natten stå.

Mörk och hög mitt hjärta vill du draga till dig och befalla
att bevingat emot himlen genom stjärnekvällen gå.

Och om än du tog min glädje, aldrig har du dock din like,
himlens upphov var din moder och din far var Herren
Gud.
Kom ihåg mig, ljusets dotter, när du kommer i ditt rike,
låt mig lägga ned mitt huvud mot en flik utav din skrud.

Livet födde du och bar det fram på starka unga händer,
närde det en tid med glädje ur ditt rika jungfrubröst.
Steg med uppåt lyfta armar på vår lyckas sista bränder,
tog farväl av vår och sommar och steg ut i dödens höst.

Hösten fick du, vintern drack du skön tills hjärtat sakta skälvde,
allt blev lysande och härligt, jord och rosor, gräs och is.
Över dig en evig himmel, hård men stjärnesållad välvde,
där du stapplade på vägen upp till fridens paradis.

(1918)

PÅ HAVET.

Ni vågor som sjunga om kvällen när solen går ner
så tagen mig, kväven mig, vänner, vad viljen I mer?

*

De dagar av kärlek och sånger bland grönskande trän
ha likt er mot aftonens fredliga land rullat hän.
O, vore den mark dit jag hemlös och irrande går
så sval som den bränning som snövit mot hällarna slår!

Jag är på ett fartyg med bristande master och bord,
att krossas när döden har sagt sitt förlossande ord.
En broder till natten där sjöarna slickande slå
jag ville på upprörda vatten se frälsaren leende gå.

Ni vågor som sjunga om kvällen när solen går ner,
nu bären, nu blåsen mig bort där mig ingen i mörkningen ser!
Nu lysen och fradgen bland mulnande holmar och skär
och visen mig vägen som långt ned i tystnaden bär!

*

Jag suges och drages och törstar och längtar till er,
ni vågor, som sjunga om kvällen när solen går ner.

*

När går du på vatten som fordom en gång, Nazaré,
och stillar all storm när de dina förtvivlade be?
Vi stannar du borta och döljer ditt anletes ljus,
och pekar ej ens med ett finger mot kärlekens hus?

Vi hade en styrman en gång uti barndomens dar,
en skäggig kapten var Gud Fader, en älskande far.
Nu äro vi ensamma här uti natten, o böljor, med er,
som sjunga om döden i kvällen när solen går ner.

(1919)

SÅNG TILL VÄSTANVINDEN.

Åh, dansa, sommarstorm med djupa orglars brus
och dansa hem till Lotalam och Stenbrobergets häll!
Smek barndomsdalen, starke vän, i julis heta ljus
när Mattao och Luossa färgas röda i kväll.

Du stora storm, du är min själ, och du är utan bo,
du sett för mycket för att vila mer.
Men hälsa allt som andas i tysta dalars ro
och säg mig alla under som där sker!

Ty när du kommer dansande jag hör en gammal sång,
en psalm, ett skratt, en snyftning från myrarna och sjön.
Tag om och om refrängen, jag vill sitta natten lång
vid öppna dörrar stilla som i bön.

Din sång i natt är stoj och glam ur glädjedruckna hus
och låt av horn, fiol och flickors skratt.
Och det som ej har ord det är förborgat i ditt sus
och sång som ej har toner har din natt!

O, västanstorm, en gång när jag är kvitt med vägen min
och stilla vid den mörka dörren står,
då skall du liksom be för mig när jag tyst går in
i det land dit sol och nätter icke når.

(1918)

EN BALLAD TILL MOR.

Bedrövelse dränks i förlösande vin,
och små törstande blommor i daggens bad,
men jag höljer mitt brinnande hjärta
i en mörknande, tung ballad.
Och jag hoppas till Gud att icke en lögn
i min ensliga visa bor,
det är smärtsamt men skönt att få vara sann,
och sjunga om kvällen för mor.

Det har skymt kring de skyar som barnet såg
och handen är hård som var vek,
och sällsamt förvridna gå molnens tåg,
för stormens förödande lek.
Fåfängliga ting hava mistat sin lukt
och jag väntar på dofter där högt uppifrån –
jag har kvar, o mor, dina ögons fukt
när i kärlek du ser på din son.

Väl hårt var ditt liv i din ungdoms dag,
ur mörkret du stapplade hit,
en olärd kvinna, spenslig och svag
och mager av ungar och slit.
Och ensam plåga och värk och nöd
och den gudslika kärlek till barnet du bar,
allt blandades beskt med salt i ditt bröd
under väntandets tunggådda dar.

Om icke du visste hur ond jag var
och hur nära den själens död,
som det släckta ljuset från staken tar
och slår mörker i ögonens glöd,
så var dock ditt hjärta så nära mig,
hur fjärran jag vandrat åstad,
att min vånda förnams som en skugga kring dig,
där i mörkningen länge du bad.

Du kvinna som smärtsamt i kärlek mig fött
du förstår mina kärva ord:
jag skall glädjas, o mor, när du stilla har dött
och får vila ditt hjärta i jord!
Ty endast därnere i ljudlös mull
den belönande friden bor,
det bästa – en jordrymd av tystnad full –
är nog gott åt en kärleksfull mor.

Lev därför ej länge – din irrande son,
kan skänka en sorg åt din själ,
bed Anden av makt därovanifrån
att slå hans kropp ihjäl,
och låt oss få vila ett tusen år
i tystnaden, du och jag –
det kan hända – jag vet ej – att en domsklocka slår,
till en tidlös och smärtlös dag.

Se blommorna vissna – och lutande trän
stå tysta där solen går ned,
och i fjärran, moder, långt västligt hän
oceanen vänder sig vred.
Han rycker i kedjan, som jag i min,
befrielse! viskar hans röst.
Men nu somnar jag, moder, min hand i din,
en förbrunnen vår hos en snöig höst!

(1919)

TILL MIN FAR.

Så skön är väl ej glansen av stjärnor över byn,
ej månens över grönskande dalar,
som ljuset i dina ögon under gråa gamla bryn –
två kronljus från paradisets salar.

Jag hälsar dig med sång och dina glesa hår:
du segrat över hundra onda öden.
Mig tycks att din kamp för de små i många år
var som ett helgons mot djävulen och döden.

Som i salighet klarnad var din panna mången gång
när du gett oss alla bröd och såg oss nöjda.
När böjd av värk du stupat kull, ditt hjärta blev en sång
som lyfte dig mot himlen med händer höjda.

Att jag är av ditt blod, åh, jag grips av ångest fatt!
Hur skall jag blott mitt arv ej förspilla!
Jag sjunger till fiol i din stjärneglesa natt
för mitt hjärta, som aldrig kan bli stilla.

En dag, en sällsam dag, o far, man bort dig bär
genom furuskogens allvarsamma salar.
Låt mig stå upp och fjärran gå. När du ej mera är,
vad rör mig alla grönskande dalar?

(1918)

ÖVER GRÄNSEN.

Det var en gång en man, som satt vid sin sinnessjuke brors dödsbädd och sjöng under det den döendes ögon ljusnade allt mer.

En gång var din dag blott dimmig och din natt av fasa full,
en gång högt du ropat: Fader, se din son!
Men när trött du äntligt stannat och i stillhet fallit kull,
ser du ändå liksom strålar fjärran från.

Det är Han – och, o min broder, det är dagning i hans öga,
hans förstånd är som sanden i det ändlösa hav.
Om det skymmer ännu kring dig, det betyder endast föga:
Han går före dig till stranden med en lykta på sin stav.

Du som lidit ont i mörkret, du, en hemlös skall få bo,
vid ditt läger vill jag sjunga intill dag.
Med min visa vill jag ringa in den stora nattens ro,
under stjärnorna som gå till Guds behag.

Ja, under stjärnorna som glädjas på sin gyllene stråt
skall som förr jag se mot flodens andra strand,
och när färjkarlen hälsar skall ej höras någon gråt:
med min luta skall jag stöta er från land.

Nu är stunden kommen, broder, ser du förarens bloss?
Hör hur skogen brusar muntert – det är vår!
Alla träd och marker glädjas och de sjunga med oss,
när ur mörkret du som ung står upp och går.

Och min visa är ett lysande moln kring din säng,
och all världens sista visdom finns däri!
Ur glädje, natt och plåga står den upp från min sträng
och hela evigheten sakta går förbi.

(1919)

BEKÄNNELSE.

”Vad finnmarkspredikanten Banga kände när han låg på sitt yttersta med idel otrogna kring sängen, vet väl ingen, men hans ansikte var sorgset och mörkt”.

Byskollärarens dagbok.

Vart träd föryngras vid regnets fall, men jag är gammal och grå
och fast ännu jag lever av blotta nåd är tungt att sluta ändå.
I en fattig och gammal och gången tid jag varnat för synd och död,
jag gav de betungade Simeons frid, och tröst vid fara och nöd.
Jag var med när den gudsända väckelsens eld som en åska av himlen for,
och nu ligger jag sjuk vid åttio år i ett hus, där ingen tror.
Och det går som ett gift i mitt hjärta in, att jag felat mot Herrens lag,
och det är som om djävulen viskade mig, att Gud blivit gammal och svag,
att han ledsnat höra min vaknatts bön, att han skakat mig ut av sitt såll
och att mera jag arme ej är värd att röra hans klädningsfåll.

Min levnads verk var en liten sten, kastad i svallande hav,
försvunnet, förglömt, och går med mig i min leriga fattigmansgrav.
Hon maler långsamt, vår Herres kvarn – men hon går till tidens slut,
och i mälden får jag mitt högmods frukt, som en David fått förut.
Och satan viskar att – kanske att – det allt var en dåres dröm,

och så vacklar min tro och så blir jag ett spån på en
natthöljd och stormig ström.

Vart träd föryngras vid vårregnets fall och blir ljusare
grönt efteråt,
men min tro har förvissnat av årens sol, och det fyller
mitt hjärta med gråt.
Fast jag sagt till mig själv: det är helvetet blott, du förvist
ur ditt hjärtas bo,
du förnekar en djävul, allt annat är kvar – din herre, din
himmel, din tro!
Men jag bävar av ångest – hur går det då med skriftens
heliga ord,
att h a n går kring som en glupande ulv på vår stackars
förkastade jord?

Och jag hör honom viska: "tro på Gud, på liv, på kärlek
och sol,
och somt får du läsa bokstävsrätt och det andra, det är
symbol!"
Men till vem må jag bedja, när allt är natt och jag känner
mig svag i tron,
när det säges att Liv och Kraft och Lag är gud – men
ingen person?
Av Liv och Lag är jag bruten till döds och kraft har jag
ingen mer,
och nu sägs, att min Hjälpare någonting är, som varken
hör eller ser.
Fast jag delade mina kläder, mitt bröd, tills jag svalt med
naken kropp –
och tiofallt förbannad den, som till gärningen ställt sitt
hopp.

*

Nu blåser en svag och hugsvalande vind emot stugans
murkna dörr,

där ute det våras i backarna grant, all dalen blommar
som förr!
Och jag känner att allt i kärlek jag gav – kvar har jag
ingenting alls,
och den nya tidens otro går lik ett kvävande vin i min
hals.
Men jag läst i de heliga skrifter, att H a n är av kärlek och
tålamod full,
och att synder om än så röda som blod skola varda som
vitaste ull.

Åh, jag minns hur jag stred en natt om en själ i stugan
vid Marbo sjö,
det var natt, det var fjärdingsmans gamla mor, som ville
ha hjälp att dö –
en trolldomskvinna, av satans folk – och det sändes efter
mig bud,
att d e n a n d r e var hos henne – dela jag skulle rätt
mellan satan och Gud.
Jag kände att luften av ont var full – tyst, tror jag väl
ännu det där?
Det är femtio år, sen den natten gick – och så länge man
lever man lär.

Om ännu jag tror på en djävul, en gud, på ett ord av den
heliga skrift,
varför blyges jag då att berätta det allt? Det är otro och
upplysningsgift.
Och om av min lovsång och fruktan är kvar i mitt hjärta
en endaste sträng,
varför tror jag ej mer, det var satan jag såg mellan mig
och Persmoras säng?
Han var mörk som natten, hans ögas eld var som
skimmer av orent blod,
men min bön var min makt och jag skälvde ej, fast vi öga
mot öga stod.

Och jag visste jag var en Guds profet och kraft av hans
nåd jag fick
när jag ropade: ”Gå – i Jesu namn!” och såg hur han
darrande gick!

Allt vårens ljus kan ej lysa väg åt gammal och vilsen själ,
men mitt ljus är den kärlek jag vet jag känt till er – till
alla – farväl –
att tänka så här är synd och fel – egenrättfärdighet blott,
men – finnes det, finnes det – ingen Gud – åh, nog må jag
sova gott!

Jo, vi tro att i världen den snöda, var din kärlek för mer än din tro; och salig den fot som måst blöda för ett bud om försoning och ro!

(1918)

VANDRAREN.

När kvällen kom med sjungande träd i en sval och
befallande vind,
gick pilgrimen Arnold landsvägen fram och satt vid min
fähusgrind.
Han vilade gott under asparnas larm sina trötta och
dammiga ben,
framför mig i skymningen stilla och stor som en Bodhi-
bild av sten.

Jag sade: Säg, du hemlöse vän, som grånat i vägarnas
damm,
varför har du ej mod till det enda steg, som för till vilan
fram?
Eller älskar du ängarnas rosor och månen som lyser på
daggen och dem,
för högt för att skynda med glädje mot de multnande
benens hem?

Och är det ej tröttsamt kring världen att gå och att aldrig
få gå därifrån, –
och lockas du icke som jag ibland av den stillsamt
rinnande ån?
Där näckrosor lysa mot stupande strändernas väggar,
bruna av grus,
få dricka dig död av Guds klara vatten i månens
förgyllande ljus?

Han sade: "Jag drömde jag dog en gång under taket av
näver och jord,
sedan prästen givit mig bröd och vin och det evigt
levande ord.
Och jag hörde en blåst som en hungrande hund kring
murkna knutarna gå,
och nakna väggarna lyssnade till hur mitt hjärta slutade
slå.

Jag såg hur man tvättade ut mitt lik i barmhärtiga
mänskors kök,
och i fönsterspringan smög jag mig ut som en lätt och
försvinnande rök.
Jag tyckte, att ut ur ett främmande hus jag famlade bort
från min kropp,
och med virvlande löv i en stigande vind jag lyftes mot
skyarna opp.

Mig tycktes mitt hjärta drev mig framåt med hast över
himmelens hav,
och stormar från bergen i stjärnornas värld dess bitterhet
svalkade av.
Från kroppens glädje och livets lust och all härlighet jag
känt,
från min smärta och all min dygd jag for som man går
från sitt exkrement.

Och jag mötte en storm som var som en gud och som
hade ett eget ljus,
som en blick som lyser och ser hur armt det är i ens
hjärtas hus.
Och när jag skådat dess kammare mörk jag flydde från
himmelen,
och sänkte mig ned på min barndoms berg att vandra
och vandra igen.

För världen passar jag ej och kom för tidigt till himlen
ändå,
och därför, därför kan jag blott som fordom gå och gå.
Men saligt det blir när värd jag befinns att dö i ett dike
en gång,
medan blommorna nicka och koskällor ringa i kvällen sin
sövande sång."

Han tystnade och stod upp och gick och hans panna var
vit som snö,
han sade: "Lär av min visdom, min vän, att icke för
tidigt dö!"
Mot kvällens himmel, där solen sjönk i ett moln som en
murad borg,
han vände sitt ansikte, fyllt av frid, med en blick som en
stelnad sorg.

(1918)

JULVISA I FINNMARKEN.

Att sjungas vid bordet till mörkt öl.

För den vinande nordan och vintern, broder,
för den grånande morgonens stjärna klar,
för vårt hem och vårt land och vår bedjande moder,

för myllrande städer och istunga floder
vi höja vårt stop – och för kommande dagar
och för kärlek och lycka som var.

När sjöarna ligga här frusna och döda,
och yrvädren dansa i moar och slog,
vi dricka och drömma om bäckar som flöda,
och minna oss Terrvalaks solnedgång röda
och gårdar som lysa bland åbrodd och lilja
och skuggor som dansa i skog.

För den hårdaste skaren och bittraste vinden
för det fattiga folket som slåss för sitt bröd,
för dem som i armod bli hårda om kinden –
för dukade bord och för slädar vid grinden,
för sårfyllda kroppar och läkande död.

Försonta och glada i stjärnans timma
vi glömma att jorden blev bräddad av hat.
Vi resa oss upp under stjärnor som glimma –
omkring oss de heligas natt vi förnimma –
för dem och för jorden, för himlen och oss
våra stop vi höja, kamrat.

(1917)

EN VISA TILL FIOL.

En fästman har Anna i Broby by,
och en vän har Vilma vid Tärnsjö Nor –
Men den fula Selma vid Utby,
hon har bara sin fattiga mor.

Vad tror du – vad tror du, när vårregnen falla,
ska han komma och kyssa ditt böljande hår?

Och ska han inte svika när dagarna bli kalla,
och snön fyller sjöstrandens snår?

Ty den fula Selma vid Utby grind,
henne flina de fulaste pojkarna åt.
Det är mörkt, det är kallt som en juldagens vind,
hennes hjärta som bävar av gråt.

Vad tror du, vad tror du, när året skall vända,
när nyåret lyser över enarna och snön.
Kanske kommer han om natten, när stjärnorna
de tända
sina lampor över vakarna på Utbysjön?

Hennes kropp är krökt som en myrväxt gran,
hennes sång den är så bristande tunn,
hennes bröst lockar ingen att leka,
och till kyssar ej hennes mun.

Vad tror du – vad tror du väl, när marsvindar ila
och skaren ligger blå över Brobergs mo?
Kanske kommer han ur nätterna och bär dig till
att vila
och kysser dig att sova i jordens ro.

(1917)

ETT RUS.

Här ligger jag och rullar mäj på Stånghedens grus –
jag är glad att ej någon det vet.
Jag vart full och jag sprang ifrån käring och hus
och gav fan om dom slogs eller grät.

Ty när jag vart mätt av det brännande vin,
vart jag skälld för ett kräk och ett skarn,

och så lämnade jag kvinnan som kallat mäj för svin
att ensam vakta boskap och barn.

Jag sprang över skogen från Kerrore by
långt innan tuppen gav hals
mitt i natten – och högt opp i himmelens sky
då dansade stjärnorna vals.

Jag har supit mäj plakat och lusteligen full,
jag är fromsint och gladlynt och trygg,
omkring mäj susar skogen sitt eviga lull-lull –
och jag ser änglar, där jag ligger på rygg.

Men timmarna de springa och tiden hon går,
och dagen skymtar oroligt ljus,
och jag vånnar min fylla ville stå säj ett år
här på Stånghedens ljungklädda grus.

(1916)

AVSKEDSSÅNG TILL FINNMARKS-SKALDEN BRODER JOACHIM

vid hans avresa från Göteborg en höstkväll.

Broder Joachim, du reser dit där vilda aplar glöda,
och där åbrodd vissnar sakta invid hundraårig gård –
Du skall hälsa alla gamla, unga, alla levande och döda,
du skall hälsa sparv och trana, du skall hälsa räv och
mård.

Broder Joachim, vi sutto vid vårt mörka öl och drömde
om de silvervita källorna vid Rökstubackens slog,
och vi sågo liksom syner så att stadens damm vi glömde,
och det vart en kolarkoja utav Tullens svarta krog.

Broder Joachim, du reser dit, där rönnar digna tunga –
hälsa varmt till Luossas gula halm och glesa korn.
Hör hur Hagaparkens almar till ditt avsked sakta sjunga,
och det ringer varmt till vesper ifrån Masthuggstemplets
torn!

Du skall hälsa alla Paisos gula kärr och svala floder,
du skall hälsa alla hässjor, alla flyn och vilda snår.
Alla höns och svultna skator skall du hälsa från en
broder,
som med själen tung av minnen uti främlingslandet går.

Men, o broder, när du sitter ibland träd som evigt
sjunga,
när du bygger dig en koja mitt i Mattnas mörka skog,
bed för dem som staden kväver att de länge må bli unga
och om troll och högland drömma uppå Tullens svarta
krog.

(1917)

JUNGMAN JANSSON.

Hej å hå, Jungman Jansson, redan friskar
morgonvinden,
sista natten rullat undan och Constantia ska gå.
Har du gråtit med din Stina, har du kysst din mor på
kinden,
har du druckit ur ditt brännvin, så sjung hej å hå!

Hej å hå, Jungman Jansson är du rädd din lilla snärta
ska bedraga däj, bedraga däj och för en annan slå?
Och som morgonstjärnor blinka, säj, så bultar väl ditt
hjärta,
vänd din näsa rätt mot stormen och sjung hej å hå!

Hej å hå, Jungman Jansson, kanske ödeslotten faller,
ej bland kvinnfolk, men bland hajarna i Söderhaven blå?
Kanske döden står och lurar bakom trasiga koraller –
han är hårdhänt, men hederlig, så sjung hej å hå!

Kanske sitter du som gammal på en farm i Alabama,
medan åren siktas långsamt över tinningarna grå.
Kanske glömmer du din Stina för en sup i Jokohama –
det är slarvigt, men mänskligt, så sjung hej å hå!

(1917)

PÅ FÄRDVÄGARNA.

Ja, bror, jag har fällt mina tänder i rätt och behaglig tid
och läst för prästen och stenat höns och stört gamla
tanters frid,
och lekt både präst och rövare och luffare och kung
och älskat som gossar älska, och svultit och varit ung,
och gått genom milslånga marker i snö och köld och skur,
och kastat sand mot fönstret i min tjugonde jungfrubur.
Och så har jag läst några böcker om kärlek, stjärnor och
krig,
och tagit många och farliga steg på livets tunga stig,
och lärt mig simpel, engelsk slang i en mörk och lortig
skans
och sett när korallsjöar gå galopp i Södra Korsets glans,
och bott hos en irländsk Sussi med tretton fåglar i bur,
och älskat och kommit levande ut – jag vet bara inte hur!

Jag har stått på piren i regnet och hackat tänder av frost
och levat länge och lustigt på en sjåares våta kost,
och jag har haft en far – och en mor, sorgsen och tyst och
from
och hon har skrivit långa brev, P. R. till Sailors Home,

brev som ha bränt i fickan mången het och skamlös kväll,
när jag gömt mig själv för dagern på en svart
chicagobordell.

Och när lusten att vandra vikit, har jag kommit
penninglös hem
och fått mat och en bädd av mor och far – och suttit och
ljugit för dem!
Nu sitter jag blek och blodlös i ett bokfyllt och stilla rum
och skriver lögner på vita blad medan dagen drunknar i
skum.
Då slänger jag skräpet på golvet och sluter ögonen hop
och tycker jag hör ur sommarens storm ett sakta
lockande rop.
Då ser jag hamnarnas tusen ljus vinka vänligt fjärran
från,
då hör jag mistluren böla och klockbojens ringande dån.
Det är som en helg över redden, och det gröna skummet
yr,
när gamla Martha stampar i havet vid Ellis fyr.

*

Hallå! Är det land? Hej, Newyork – yankeys, hur mår ni i
dag?
Har ni ägg och härsken skinka? Bjuder skepparen över
lag?
Det är som en helg över Brooklyn – det är dans som till
våldsam musik,
när Marthas bogankare dyker i Yerseys gula vik.
Det luktar sot och storstad – hej, Tom, vi ha klarat oss
bra,
vi dricka en skål för Martha, och för hamnen ett högt
hurra!

*

Åh, jag sitter såsom i syner – nu ramlar redden itu,
bakom blänka fullskrivna luntor – jag är trött – vad är
klockan? Sju!
Min bokhylla? Bah! Ett varufack, buntade tankar som
stå och viska: ditt liv är levat och din värld är
skymningsgrå!

(1918)

MINNET.

Det stod en natt med stjärnor, många hundra,
och brännkall rymd kring unge Villiams hus,
en natt när tjärnens tunga isar dundra,
och det går köld ur själva månens ljus.
Och uti djupa hav av snökristaller
stod skogens träd stenstilla som koraller.

Herr Bill han var, fast ung, en man av värld
berest, fördärvad, from, lastbar och lärd,
med många bleka kvinnors minne
som icke läkta sår där djupast inne,
och denna klara, sköna vinternatt
hans sista kärlek framför brasan satt.
Och Bill var trött fast han var ung
och stirrade förstrött igenom rutan
och när hon sakta räckte honom lutan,
och sade: ”älskade nu le och sjung”,
han sjöng. Hon hörde tonerna och orden
likt tunga stenar som slå dovt mot jorden,
och läste i hans blick hans enda önskan så:
vi haft vår stackars glädje – du kan gå.
Hon gick och han var ensam och han tänkte
på många fler än hon som kommit och som gått
och några smärtsamt allt sitt hjärta skänkte

och tackade med tårar, fast de intet fått –
Han såg mot himlen över snön och taken
och fast det led mot morgon var han pinsamt vaken.

Och han stod upp och gick omkring i huset
och ville icke sova denna natt,
och släckte lamporna – i stjärneljuset
han grubblande uti sitt sovrum satt.
Då plötsligt klang ett rop igenom rummen öde:
”Kom ut i salen, Bill, och tala med den döde!”

O – stod han ej därute vid en stoftad kista
däri en död var lagd, en man som han ej kände?
En kvinna kanske? En utav hans sista?
Det var som ännu lust på vissna kinder brände.
Han såg hur detta anlete sig vände
liksom i kramp helt långsamt för att se,
och kvalfyllt om en sista ynnest be.
Bill nämnde jungfruns namn, vars nåd är städse rik,
och flydde med ett svagt men vanvettsmättat skrik.
Han stängde sig uti sitt sovrum in som galen,
och lade dörren till med dubbla lås –
av rädsla var han nära att förgås,
men hörde liket gå omkring i salen.
Det frasade och lirkade med kammardörrens vred
och svett av fasa sjönk herr Bill på bädden ned.

I långa dagar han där ensam satt,
och hörde likets hamrande och möda,
och natt blev dag och dag blev åter natt
och stundom, tänkte han, så sov den döda,
och vilade uti sin svepning en minut
för att på nytt stå upp och söka vägen ut.
Det tassade i kval kring salens golv,
var natt det kom till dörren klockan tolv
och hördes dova slag mot kammardörren slå
som slag av tass och ben och tyg och skinn –

en natt gick dörren upp – och det kom in.
Och gripen av sitt vanvetts kraft, den sista,
han grep dess nacke fast och släpade det med
och hetsigt och med våld uti dess kista
han klämde multnad arm och ben och huvud ned.
Men blott han släppte taget minsta grand,
så stack det åter upp en fot, en hand.
Och denna fot var lik den fot han smekt
och en gång kysst och dyrkat, fast den nu var
gulnad,
med denna sköra hand han en gång lekt,
och pannan var en mänskas, fast av mörkret blekt
och munnen var som deras – fast förfulnad.
Allt lyste i sin gulhet – allt var man och kvinna
ett skinnhöljt exkrement i färd att brinna.

Han satt där natten ut och än en dag
och höll den döda ned med hårda händer.
Han hotade, han gav väl hugg och slag
och en gång tog han ifrån spiseln bränder
och gjorde likets huvud vitt som snö –
det rörde sig ändå, det ville icke dö.
Det lyste som av ruttnad lust, det ville opp
det ville vandra, ville gå och tala
och en gång som en viskning hes från munnen lopp
men med en ton som ville det hugsvala:

”Av allt du gjort jag endast minnet är
och du blir aldrig salig på att ha mig här.
Och om du är en man av stolthet och av ära
och står liksom en karl för allt du gjort,
så är din plikt att tåligt mig på ryggen bära,
jag stinker nog, men hindrar icke stort!
Försök ej mer – du känner icke mig,
jag dör blott en gång till: och då med dig!
Blygs ej att genom världen bära Minnet
jag blott kan ses och märkas utav dig,

och allt vad dina vänner varsna är
blott jämt din trötta gång, ditt pinta öga,
och även detta döljs för dem ju mer
du tappert under minnets börda ler
och vänder blicken stadigt mot det höga.
Då skall du känna hur på hjärtats spända strängar,
en fröjd likt lätta pärlor faller ner
och spelar som en vind på sköna blomstersängar."

(1920)

SNÖHARPAN.

Hon stod ensam med strängar av frost i sitt hår
och spelade i nattvinden sen.
Och hon var som en harpa i salar av is,
den skälvande snöböjda en.
Och en gosse kom och hörde, som silke var hans hår
och hans öga hade tårarnas glans:
o, jag visste ej, han sade, att i fattigaste skog
så mycken skimrande härlighet fanns.

O, hör, det är toner av pärlor och guld,
det är sången om den eviga sommarens land,
av sjungande stjärnor är all himmelen full
och av härlighet stå skyarna i brand.
O, vind, du må sjunga mig från hem och hus,
du må komma mig att glömma bort moder min,
men lär mig, men lär mig att sjunga som du,
och ge mig en harpa som din.

Och vinden han sade: din glädje och gud
och mera får du ge för en harpa som min.
Om du ger mig den kärlek du ännu ej känt

och all människors lycka, är harpan din.
Ty en glädje fördold för allt kött skall du få –
men bitter som kärrblommans bär –
och en namnlös ångest att nära dig på
och harpan jag spelade här.

Men varför skall du giva mig mörker och sorg,
när din harpa och din sång är mig nog,
fast aldrig har jag gråtit såsom i natt
när din ande över strängarna drog?
Men vinden sade: så vet att min sång
den är dånet från det dansande hav
och skräcken som ropar i vaknatten lång
och de vitaste benen i grav.

Den som älskar som mänskor kan ej sjunga som jag
och min harpa skall lära dig din moder försmå,
och nu tar jag den kärlek du ännu ej har känt,
så tag nu din harpa och gå.
Och den harpan bär du väl redan i ditt bröst
och det här är blott den snöböjda en,
och din barndom är gången, gå sjung om din höst
men skynda dig ty natten är sen.

Och han vandrade och sjöng och han kände väl
att han spelade sitt bröst till ett sår,
och för harpan han glömde att bedja
för sin själ genom tröstlösa år.
Och när han sjungit en mörkhårig jungfru
till att giva sig så vit såsom snö,
då sjöng han till harpan en visa
om att ensam och glädjelös dö.

Men hon ville ha sångarens kärlek:
du skall tacka vid din harpa för allt jag dig gav –
Och han sade: min kärlek åt en stjärna
och min harpa åt det dansande hav.

Och hon sade: du har dårat mig med sånger,
du har sjungit bort mitt hjärta i stjärnornas sken
Och han sade: när du böjer dig och gråter
då liknar du den snöböjda en.

Och hon snyftade: du tog vad jag ägde,
jag förbannar dig och kvällen, jag vill höra dig vred!
Och han sade: jag ser månen som en konung gå
över mörknande dalarna ned.
Du må kasta dig i gräset och gråta,
du må dö som den vindfällda gran –
Jag skall spela vid det skummande havet
och dö som den sjungande svan.

Men han krälade som ormen mot sitt gömsle,
när solen slutat värma och kvällen blivit sen,
och så hann han sin barndoms skogar igen
och föll ned för den snöböjda en.
Och han sade: tag åter din harpa,
må ondskan spela sina visor på den!
Jag vill veta vad jag bytte för mitt renaste guld:
ge mig barndomens hjärta igen!

Och då kände han en skälvande, kvävande makt,
något sög sig i sårade bröstet fast,
och hans hjärta av stormande kärlek
det fylldes till brädden och brast.

(1916)

HÖSTMELODI.

Jag är ensam i mina minnens hus, men det gamla går jag
till dom,
och mitt hjärtas gård är en bräddad säng med ångestens
mörka blom.
Som man väntar ett vårregn, så väntar jag den svala och
stränga tid,
som skall bädda min ungdoms gula blad i snöns
barmhärtiga frid.

En sommarens ungmö hon dröjer väl än med en
kärlekens visa från förr,
och står som en tiggerska bedjande kvar vid min
ungdoms stängda dörr.
Som flyttande fåglar försvinna de år som gjorde mitt
hjärta glatt,
och dagens saga och kvällens sång de ropa: vi gå – god
natt!

Så faren, I fåglar från barnets land, jag gläds ej längre åt
er!
Här kommer en djupens och mörkrets örn och slår vid
mitt läger ner.
Han har natt kring vilande vingar och hans huvud är
grått av år,
men djupt in i brinnande ögon jag skymtar ett hopp om
vår.

Kanhända hans vingar och rygg ha makt att föra mig
bort en gång,
till andra land och till andra hav att lära en sommarens
sång.
Kanhända han för mig med glädje bort till en strand av
en sällsam sjö

med vågor som orgelbrus bärande mig till en drömmens
blommande ö.

Och där skall min gård vara full av träd och av storm
som psalmers brus,
och min själ bli en harpa som sjunger högt i vårens
lågande ljus.
En harpa som brister och smältes ihop med Det Eviga,
det som ä r,
och som i sin ändlösa famn av frid den namnlösa
tystnaden bär.

(1918)

HYMN.

(Motiv ur Vedasångerna efter Siri Ananda Acharyas
översättning.)

O gud, som de heliga nalkas på knä, du de hungrande
världarnas bröd,
vars större ljus är den dödliga tid och vars mindre den
timliga död,
Du hör allt levande sorl där Du bor i det eteruppmurade
loft
och beträder stigen där ovanom allt, beströdd med
stjärnornas stoft.
Till den okände Guden vår dyrkan!

Över Det som ej vet någon gräns slog Du upp som ett tak
det blånande valv
och hela den mellan-liggande rymd var blott Ditt öga
som skalv
i kärlek mot bergen av evig snö och de fruktbara dalarnas
mull,
och log ur töcknen mot solar som givmilda öste i djupen
sitt gull –
Till den okände Guden vår dyrkan!

I vånda böljade Etern, alla världarnas åldriga mor,
och se, när hon fött, i ett guldfärgat ägg av eld hela
skapelsen bor!
Och planeterna ilade var sin väg ur äggets brustna band
av olika skepelse, namn och mått men styrda av samma
hand.
Till den okände Guden vår dyrkan!

Oändlig är Själen, dess syn utan gräns av Tid och
hindrande Rum,
oändliga vägar med vingade fötter den vandrar i Etern
stum.
Omslutande länder och stjärnor och hav bakom
rymdernas förlåt den når,
otröttlig, omätlig och ensam på härskarnas vägar den
går.
Till den okände Guden vår dyrkan!

På jorden danad av varp och väv av seende, rum och tid,
skall själen längta till Dig, och, Dig finnande, vila i frid.
Skall utan att röra sig vandra in i det eviga namnlösa
hus,
när Dettas, det timligas, natt har gått ut i en morgon av
evigt ljus –
Till den okände Guden vår dyrkan!

(1919)

KOPPARSKÅLEN.

Jag fäster mina ögon på väggen, på en liten blank skål av koppar, som speglar solen. Jag stirrar rakt in i det blanka, bländad, och den ljuva smärtan i mina ögon förtar plågorna i mitt hjärta. Och den skinande kopparskålen blir som en port, en port av ljus, utan botten, ett litet hål i en mur av mörker och därinnanför oändligheten. Men när får jag sakta gå ut genom porten, till alltings källa, och finna vila?

Kring kopparskålens kant slingrar sig en orm, en liten gyllene orm med ondskefulla, tvivlande och gäckande ögon. Stundom sträcker han fram sitt huvud liksom för att stänga vägen, så att icke ljuset suger mig in i sig. Men han faller väl snart ned, dödad av ljus, och säg mig, får jag då sakta gå ut genom porten till alltings källa, för att finna vila?

Kopparskålen är lik ett uttaget, levande hjärta, men varifrån har den fått glansen? Mitt eget mörka hjärta är det som har börjat lysa av glädje, broder, det är som ett hål av ljus i en mur av sorg, som en port, en trång, ljus port, där evigheten börjar. Men när får jag gå ut genom porten, till alltings källa och finna vila?

(1920)

EN VAKNATT.

I.

O morgon, jag ropar mot solen,
hav tack för det hopp som du gett
om en högre och fullare dagning
än den mina ögon har sett!
Vem kan älska den stinkande jorden
när rymden av stjärnor är full,
eller fröjdas åt träsklandens vägar
när himlen har gator av gull!
O ängel med lysande vingar,
med en panna som Beatrice,
fly ut över muren av jaspis
och bär mig till Paradis!

II.

Det är en nåd att svår och lång
vår väg, o Gud, du gjort,
att all vår gång blir tunga steg
mot evighetens port.
Men om, o Gud, du glömt en dag
på plågans bädd din son:
O rädens icke, det är jag,
du ropar fjärran från.
Om kval, om död, om allt du vill,
jag faller ned och ber:
Allt som gör ont, det hör oss till,
giv mer, o Gud, giv mer!

III.

En hemlighet är allt vårt liv:
en insekt surrar där åskan slog,
och barnen leka i gräset
där mor av förskräckelse dog.

Men aldrig än jag en hemlighet sport
så svår att lära sig hel,
som att älska den, som mig illa gjort
och begråta egna fel.

Och i natt i dom och ensamhet,
står höstens himmel klädd,
och en ande vars namn jag icke vet
har vaknatt vid min bädd.

IV.

Dock, Du som allt med vishet styr
med hög ofattlig lag,
så gott jag kan till Dig jag flyr,
när morgon vänds i dag.
Så är Du min förtröstan all,
du kärlek, som i allting bor,
i stjärnors eld, i havets svall,
i blicken hos min mor.

(1920)

TILL KÄRLEKEN.

Det sägs att en helig i tron, en profet
vars röst ljuder långt, som en malm, en cymbal,
men som icke vet kärlekens hemlighet,
han hör till de fåvitskes tal.

Ty envar profetia och psalm skall förgå
som en fläkt, som en rök på förgängelsens bud,
men allt som av kärlek är fyllt skall bestå
och leva och vara som Gud.

I kärlek den stingande tistel blir skön,
och majregn vattnar förtorkade land,
och en ros kan dofta, en äng bliva grön
mitt i öknens brännande sand.

(1920)

EN UNG FADER TALAR.

Två ting äro nära men nå ej varann,
jag betalar för ett och åt ett är jag träl:
det bröd som tystar min gosses gråt
och den hunger som äter min egen själ.

(1920)

TILL SMÄRTAN.

Jag vet ej om fullare fröjd står att nå
än när läpparna skälva av gråt,
om vi någonsin leva så gränslöst som då,
när pannan av ångest är våt.
Och ingen kom så hel och ren
till lyckans vardagssal,
som den som var med sig själv allen
en natt i skakande kval.

(1920)

JAG SJUNGIT . . .

Jag sjungit, men sjöng väl aldrig för dem,
som leva med glädje till döden.
Jag sjunger som den, vilken ej har ett hem
på jorden, en sovplats i nöden.
Jag kan icke vara hos mö eller vän,
dem jag älskar, jag rädes för alla
och ofta när jag vandrar bland stjärnlysta trän,
de länge kvävda tunga tårar falla.

Mitt hjärta det vill brista, ty det får ingen ro,
det vill vandra där ingen känner vägen.
Mellan jorden och himlen det städs vill bygga bro
likt en timmerman så ångestfull men trägen.
Och snart skall jag stå vid den halvöppna port
och ingå i det namnlösas länder.
O, herre, förlåt mig den synd som jag gjort
med min tunga och de skälvande händer.

(1920)

EPILOG.

God natt – god sömn jag önskar er,
ni alla vandringsmän.
Vi sluta sjunga och skiljas – vad mer
om aldrig vi träffas igen.
Jag har sagt något litet och fattigt av det
som brunnit hos mig och så snart brinner ner,
men den kärlek, där fanns, ej förgängelse vet –
god natt – god sömn åt er.

(1920)

NU MÖRKNAR MIN VÄG . . .

Nu mörknar min väg och mitt dagsverk är gjort,
mitt hjärta är trött, min säd har jag sått.
Som en tiggare står jag, o Gud, vid din port,
och blodrosor växa på stigen jag gått.

(1920)

JAG ÖNSKAR...

Jag önskar att jag haft Gudomlig eld uti min barm.
Jag ville ega Gudars kraft i senig, hårbevuxen arm.
Då skulle jag med glädtigt mod gå'stad som vårens
unga flod.
Som forntidskämpe, mörk och led,
och slå allt ondt på jorden ned.
Hvar planta rycka upp med rot,
som frodats uti lastens dy,
som närd af kif och hat och hot
fick hvarje dag en telning ny.
Och om jag mötte hålögd nöd
jag dräpa skulle den med bröd.
Jag kläda skulle pilt som frös
och göra våldsmakt vapenlös.

Den fallne, som ur djäfvulens band
sig slita sökte, men var svag,
jag skulle med min starka hand
befria i ett enda tag.
Dagkarlen, böjd av arbet tungt,
jag skulle ge ett hjärta ungt.
Den drabbad var av kval och sorg
jag ledde tyst till glömskans borg.

Jag uti den försagdes själ
inympa skulle mod och hopp,
okunnigheten *le* ihjäl,
förtjänsten hjärtligt bära opp,
med löjets gissel slå allt dumt
och öfvermodet göra stumt,
i Mammons borg föröva rån
att därmed hugna mödans son.

(1905)

MIN BRODER, JAG VET...

Min broder, jag vet att du älskar ditt liv
som en skatt, den bästa du äger.
Du vårdar med möda, du värnar med kiv
och med strid för döden ditt läger.
Men snabb som en duva går dödsängeln in
och svalkar med vingen din panna.
Med gravröst han viskar: kom med, du är min!
och de hetsiga pulsarna stanna.

Han kommer ej endast till grånade hår,
den dystre, försonande ängeln.
Han går till den lilja som föddes i går
och avskär den nattgamla stängeln.
Förvandlingens konung med mantel av natt,
med en gördel av suckar och tårar –
säg, finnes väl någon som, över dig satt,
kan räkna ditt verk, dina bårar?

Ej alltid du kommer som ovän till oss –
ej alltid du hälsas med smärta.
Ej alltid med tårar du släcker ditt bloss
eller krossar ett saknadens hjärta.
Du släcker nog stundom ett tynande liv,
ett liv som blodstårar dränkte.
Vem räknar de hopar av oro och kiv
som du hastigt i graven sänkte.

Hur underligt vore om du blivit satt
som en ensam monark över alla,
om ingen fick sätta en gräns för den natt
som du låter på livet falla.
Då vore det hägrande hoppet om frid –
om slutlig förbrödring, försoning –

en hånande drömbild, ett slut på en strid
i den tysta förintelsens boning.

(1907–1908)

BARNDOM.

O, barndom, o gyllene drömmaretider,
Då världen var solljus och hoppfull och god!
Hur ofta när ensam och tröstlös jag lider
Jag dricker mig glömska ur minnenas flod.
Då lever jag saligt i drömmarnas rike,
Med borgar och slott och all världenes glans,
Där varje kamrat är min bror och min like
Och nymferna tråda sin ystraste dans.

Där finns för min lycka ej stängande hinder,
Ej bommar som spärra för frihetens färd. –
Vad mera om nuet med villkor mig binder?
Jag lever som fordom i barndomens värld. –
Och trött vill jag stanna i hembygdens dalar,
Och sött vill jag sova på blommande ljung,
Och säll vill jag drömma om himmelens salar,
Där döden är dräpt och man evigt är ung.

O, låt mig när solen mot nedgången hastar
Få slumra en gång som i barndomens dar!
Så sjungen då, granar, så jublen då, trastar,
Ty nu är jag liten som fordom jag var. –
Jag lutar mitt pinade huvud mot stammen,
Och drömmer mig bort ifrån tvivel och strid.
Så susen då, björkar, ett viskande amen –
Så somnar jag in i evinnerlig frid.

(1911)

ETT SKALDEFÖRSÖK.

En grubblare i kungaskrud
– en herdegosse sänd av Gud.
En våg av ljus, en flod av frid
från harpan flög i dyster tid!

När du blir trött av natt och dag,
när livet känns som gisselslag,
din harpa vare själens ljus
och sången den om Fadrens hus.

Det finns en Gud så visst, så visst.
Han finns fastän du hoppet mist.
Till evigheten bär din väg,
hvi gråter du då ännu – säg!

(1912)

KOM, LYSSNA...

Kom, lyssna på stormen som rytande talar,
på berg som i ödslighet ensamma stå!
Högt rullar hans rop över natthöljda dalar,
högt visorna klinga och marscherna gå!

Han går som en svartmålad brigg genom natten,
bland klippor och rev över stenbeströdd mark.
Vart går han? Jag vet ej – en gud står vid ratten,
allsmäktig, befallande, stjärnströdd och stark.

Han seglar väl kanske till soluppgångstiden,
han lägger väl till för att vila en gång.
Det styr väl i hamn när all natten är liden,
det finns väl en strand fastän vägen är lång.

(1913)

TVÅ DIKTER.

I

Jag är led vid att halvdöd leva
lik en växt i en skuggad skreva.
Jag vill vara en solbränd sjöman
där gungande vågor gå.
Jag vill fly till de solfyllda sjöar,
som skvalpa mot sydhavens öar,
där korallernas borgar stå.

Vill du följa mig, bror, på färden?
Är du led vid den kalla världen
och din svettiga kamp för maten
och ditt fattiga, blodlösa liv?
Vi ta hyra till Japan och Kina,
vi gå ut där passaderna vina
vid Dansande vattnens kiv.

Vi gå bort till tatarernas rike,
vi bli älskande muselmäns like
och få sydsolens lågor i blodet
och se kolsvarta lockars svall.
Vi ska välja oss en som kan brinna,
en eldig och storväxt kvinna
som älskar oss när hon skall.

*

Och du sköna, som vunnit mitt tycke,
vill jag köpa ett glänsande smycke
på Stora basaren i Stambul
vid Gyllene Hornets kust,
ett armband av vita kristaller,
och kedjor av röda koraller,
till tack för din ärliga lust!

II
BRYNHILDA.

Brynhilda, kom ut på vår slåtter!
Sjung ängen av visor full!
Du är ljus som en vikings dotter
och ditt hår är som rågens gull.

Si, din blick är som stjärnor om våren
vid den trånande dagens slut,
och ditt öga syns blått genom tåren –
sjung hela ditt vemod ut!

Sjung visor om rosor vilda,
sjung sånger om morgonljus!
Den är trolldom, din sång, Brynhilda,
och din famn är ett fångahus.

(1913–1914)

VAGGVISA.

Nu skälver visan vaggande
som tung skog i vingad vind,
nu somna och i drömmar le,
nu vila, rosenkind!

Nu vaggar visan vän och öm,
det är djup och ro i den,
och när du ler i sagodröm,
då tystnar den igen.

Den är som trädens tunga sus,
som skvalp mot land i sommarsjö,
och milt som våg mot gräsväxt grus
den lägger sig att dö.

Den skall nog susa stark en gång,
högt glad, som himmelen,
den skall bli lek och rusig sång
och tystna av igen.

*

Den skall bli glad som himmelen,
kärleksröd, rosenfin,
och du skall dricka djupt till den
ditt ödes tunga vin.

Men när du styvnat stelt till ro
och bäres bort av svarta män
och bäddas djupt i jordebo,
då tystnar den igen.

(1914–1915)

GENERALEN.

Där sitter generalen tung
och böjd av arbetsår
och vilar sig mot ekens stam
och ser hur tiden går.
Han är en tyst Napoleon
vars hela stolta här
kring fält och dalar myllats ner,
vars kolonner stupat med bröst mot jord
och aldrig vakna mer.
Och slättens jord är vapenströdd,
se, mullen blänker av rostat stål,
av rinnande blod blev den genomblödd,
den mark där av vagnar hopades bål.

Men i vårens blomning, bland ljung och grus,
surra humlor kring gamlingens fot,
och han stirrar sig blind mot dagens ljus
och sjunker ihop vid trädets rot.
Och då brister hans hjärta, då mörknar det fort,
han hinner ej tänka allt stort han gjort,
han är ingenting mer än en kallnande kropp,
ett kadaver bland vårens blom.
Jag har glömt vem han var – ingen man skrev opp
hans bragd – ingen gud hans dom.

(1914–1915)

INFERNO.

Skalden och drömmaren Håkan
satt i sin kula och skrev –
in genom springan vid dörren
den dansande yrsnön drev.
Skalden var bittert ensam,
slogs med lungsot och brist,
kojan låg ensam vid myren,
myren var trädlös och trist.
Skarpt i tomma rummet
hans hosta ekade styggt,
mörkret såg in genom fönstret
och vinden viskade skyggt:

'Tänkte du aldrig, Håkan,
när vintern gick tjurig och kall
och du diktade visor om stormen
som härjade hagar och fall,
att du själv skall, stelnad och döder,
bäddas i lerig kyrkbyjord,
och sova bland sovande bröder,
och vila från rim och ord?

Si, människor, människor sova
runt bergen i fattigmanshus,
och köttlösa kindknotor blänka
vid fönstren i månen ljus.
Tänkte du icke, Håkan,
att bättre, bättre det vore,
om du och de finge sova,
tills ni alla till kyrkbyn fore?'

*

Så hörde han vinden tala,
och han lutade huvudet ned,
och hans panna var vit som snö,
och han bad till världarnas herre
om nåd att få slippa leva,
om nåd att få stilla dö.

1914–1915

KROGINTERIÖR.

Det var höstregn och rusk och när klockan var tre
tändes lampan i taket på Backens kafé,
där var sorl och skrål av svärjande män,
och jag satt i ett hörn och drack öl med en vän
och jag såg bara smuts och jag kväljdes av rök
från snarkande pipor och stekos från kök,
och mot taket steg struparnas surr som ett brus,
och i skymningstöcknet sken lampans ljus
helt matt och rött, likt kallnande blod,
och ur mumlet steg stojet mot tak och vägg,
och i dunklet nickade skallar och skägg,
och knotiga ansikten grinade fram
som dödskalleflin genom ångor och damm,

och från disken bräkte en hes grammofon
och ett dussin stampade takt med skon
och jag tyckte att skrål och skratt och snusk
och svärjande käftar och rummets rusk
smälte ihop till en helveteston.

(1914–1915)

SÅNG TILL MIN LYKTA.

Jag tände dig längesen, flämtande lilla,
under åren som gått har du brunnit för mig.
När natten var fridfull och heligt stilla,
som man gläds åt solen jag gladdes åt dig.

Du var dock en vägtröst i mörkrets öken,
när andra njöto av sovande ro.
Ditt sken var en stjärnas blänk genom töcken,
en ögonens lust i den sömnlöses bo.

Du lärt mig att tålmodigt midnatten bida,
i ditt sus låg det frid och du lärde mig den,
i ditt mattgula ljus har jag lärt att lida,
att tvivla och häda och glädjas igen.

Jag trodde att du en av höstmörkrets dagar
skulle växa och flamma med vitare ljus,
skulle lära mig tro – dock icke jag klagar,
jag vet att du slocknat i andras hus.

Men dör du en gång, blir du trött att brinna
och lämnar mig vänlös i kolmörkt rum,
då vill även jag bryta upp och försvinna,
då vill jag som du slockna ut och bli stum.

(1914–1915)

VISAN OM HUR PER OLS PER ERIK ÄLSKADE MED EN PLATONISK KÄRLEK.

(Skriven av honom själv)

Min kärlek den liknar ett stormande hav,
den är ljus, den är stark, den är stor,
den är likasom månsken i tillvarons natt
och längst inne i själen den bor.

Min kärlek är sol som från himmelen sken
över hembygdens sjungande gran –
förr gick dagen som oxen på stela ben,
nu hoppar han lätt som en svan.

Min kärlek är sol som från natthimlen föll,
över gravar och tårar och snö.
Förr stämdes min lyra till spädgrisars lov,
nu sjunger jag blott om min mö.

Så hög som en låt ur en lullande lur
är min kärlek – ej lustarnas träl.
Förr älskade jag som ett avlande djur,
nu älskar jag bara en – *själ.*

Vi ska ligga så stilla i graven en gång,
samma kista vi vila oss i,
tvådelad, men hopväxt, mot himlen med sång
då rusar vår själ som ett – bi.

(1914–1915)

STORA, STOLTA KÄRLEK...

Stora stolta kärlek, lik ett hav av rosor rött,
älska ej så högt och hett och skumma dig ej trött!

Snart blir hagens hängbjörk grön och mjukt blir gräset
där.
Gå ej dit min Lisa lill, ty då är våren här.

Då är våren här med sång i majnattrus så skön
och då är längtan hög och lång och het som mannens
bön.

Gläd dig ej åt vårens luft och nattens hemlighet,
sjung ej visor, Lisa lill, om det som ingen vet!

(1914–1915)

BRÄNNMORS VISA.

(Brännmor sjunger – Marna lyssnar)

Det är tungsamt när i kärlekens blomsterprydda vår
en sorgens natt ditt unga hjärta når.
Men vi hoppas och vi tro på den förlossande dag,
som skall stunda till Herrens behag.

TILL MIN VÄN KONSTNÄREN MARTIN ÅBERG.

Så sent har han irrat sig fram till vårt hus
och vi se i dörrn hans höga gestalt,

och han skrattar som ofta men skrattar dumt
och hårt och vansinnigt kall.

Och gata upp och gata ned
har han hungrig gått i natt,
och hans nästan brustna siarblick
är irrande och matt.

Men ännu hänger hans själ ihop
och han sätter sig stilla ner
och säger med bortvänd blick: kamrater,
nu hungrar jag inte mer.

Det var tyst förut men blev tystare:
den rösten var inte lik.
Den hade över sig både sorg
och glättig, djup musik.

Så börjar han tala om höga ting
som han sett där han vandrat kring,
om allt han målat med hjärteblod
och om kärnan av ord och ting.

'Och om ni ett ögonblick endast sett
som jag där jag ensam gått,
så vore ni också att räkna bland dem
som sin heliga arvedel fått.

Och varför grubbla när allt är ljus
som böljande kring mig går,
kring mig av vatten i svartviolett
en sjungande bränning slår.

Den bär mig till skönhetens herres hus
på en stjärnljusomstrålad ö.
Jag bär ett evigt levande liv,
som aldrig kan hungra och dö.'

Så brast hans dröm, och han reste sig blek,
och föll i skakande gråt,
och hans höga vita panna
av ångestsvett var våt.

Och då såg han på oss som på främmande ting
och med ögon som längta i jord,
och förbannade oss och förbannade allt
och talade främmande ord.

Och han sjönk till sist ihop som en säck,
och dog en vansinnigs död,
och likvakan sköttes av fyra män,
som icke hade ett bröd.

Då hörde jag något som icke var sorg
komma sjungande ovanfrån.
Som mor som sjöng för sitt slumrande barn,
och en ängel var hennes son.

Och en annan röst med ett sällsamt ljud,
som när vita vingar slå,
kom i mörkret nära mitt eländes bädd
och viskade sakta så:

Ej sorg över kämpen känn,
du barn som ej ser som han.
Han sett för klart och druckit för djupt
och döden till lön han vann.
För stor för eder jord,
för hög för edra hus –
Han har rört vid min mantelfåll,
vid min klädning av skinande ljus.

(1915)

ETT DAGBOKSBLAD.

Nu dunka buffertar emot varandra,
en sorgesam, men lugnande musik,
nu ger jag den och den i alla andra,
nu reser jag från gruvor och fabrik.

Nu far jag dit, där drömmens svanor sjunga
sin avskedssång till jord och himmel blå.
Nu far jag dit, där molnen skymma tunga
de gamla bergen, stupande och grå.

Vad vill ni mig, ni små och stora barn,
som rikta dumma ögon mot en hemlös
konungs trasor?
I fall ni kunde se ett ögonblick som jag,
ni skulle lindas in i alla satans fasor.

(1915)

NATTVANDRARE.

Du var med oss, bror, i natt, mitt i syltans rök och skratt.
Vi som aldrig var poeter när vi skalv av frost och svalt,
vi med dig vart körda ut när serveringen var slut,
och när torget kändes tjugo grader kallt.

Det var jag och Martin Johansson och halta Petersén,
han som såg på dig så spanande och dock så hård och
rädd
och gamla Kalle Made, han, vars träsko frös till sten,
och William Smegen, full och illa klädd.

Åh, den natten var precis som ett morgonbad i is,
vi ville inte häda men det gick ej låta bli.
Vi skämtade som spöken och som hängdas var vårt grin,
det var allt du kunde önska men inte poesi.

Det var bister morgon ren när gamla Made frös sitt ben,
han var för stel att jämra, han vart liggande och svor.
Han var drucken ännu då, och han skrek åt oss: 'Gå på!
Om dom sågar av mig foten, så tig med det för mor!'

Konstapeln svor han med, när han kom och gav besked:
'Tusen djävlar, karl, att sköta sig så där!'
Bort en stelnad kropp han drog när det tre i tornet slog,
och vi knöt de röda händerna – så här!

Och nu reser du till dem som ha mat och hus och hem,
och när tåget ångar frostvitt från stadion
ska varenda trogen själ gå att hälsa dig farväl,
och gå trampande och skakande vid bron.

Och en vinternatt igen ska vi träffas, gamle vän,
ska vi dricka stadens sämsta i stadens värsta hål,
Och när glasen fyllas på, om gamla Made vill ha två,
ska vi dricka själva fattigdomens skål.

Kanske sjunga vi en psalm till vårt sista starka öl,
kanske Gud vill vara bland oss några timmar under tak?
Vem vet nattens öde sen – vem som fryser bort sitt ben
och som släpas bort ur gatan, kall och rak.

Skål för nattens långa tramp, hell den mördande kväll!
Barn av helvetet, vi släckta lampors vakt.
Då vi ses en vinter grå, om gamla Made lever då,
ska hans träben till psalmen gnissla takt.

(1916–1918)

EN VISA I TACKNÄMELIGHET

tillägnad brodern och redaktören Rosén, diktad av
Black Jim vid hans avresa till skogarna.

Sätt maskinen i gång gamle lokförar Jan,
låt oss skramla iväg upp till myrar och mo!
Har du hört uppå Dan, som gav tidningen fan
för att sova i storskogens ro?
Han var stark, han var ung, men hans längtan vart tung
och han skildes med saknad från stan.

Sätt ditt lokskräp i gång, vilket bråk, vilket söl!
Har du vattnat ditt odjur och kolat, min bror?
Om jag vetat ditt dröjsmål jag hunnit få öl
och en porter med fan och hans mor.
Se, biljett har jag hem och riksdalerna fem
fick jag över till kalvar och kor.

Det går sakta men säkert till Dalarnas land,
där frosten går härjande vit,
och ett blad av Ny Tid har jag här i min hand,
i den andra en morgonpostsvit.
Det är vänner, som följa i avskedets stund
för att hälsa farväl bit för bit.

Om du undrar varför jag från dagbladet for:
det är något jag själv inte vet.
En längtan till markerna ini mej bor
som ett lockrop från storskog och vret.
Jag vill tro du förstår varför inte jag går
och hajöar utan ände och slut.

Jag är blödig och vek och en skvallersjuk tår
kunde trilla ur koxgluggen ut.
Bed gärna, att fan må anamma den Dan,

och alla hans griller och visor och pjunk,
men läs min sång vid en sejdel en gång
och drick skalden till med en klunk!

(1917)

I DAG KLEV JAG OPP...

I dag klev jag opp ur mitt legda bås,
och klädde mig skönt uti bälte och krås.
Och si solen stod gladelig på himmelens pell,
och vinden var kärlig som en gammal mamsell.
Och då sjöng jag, må satan ta suckan och tår,
när stormen han dansar – filibom vad det går!

Må glädjen stå hög som en majstång i byn,
när fiolsången skallar vid skogarnas bryn.
När som sensommarn speglas uti brännvinets tår,
medan storstormen dansar – filibom vad det går!

(1917–1918)

MEMENTO MORI.

En makaber dikt, skriven i skymningen
vid tre sejdlar och tillägnad
broder Ben

Broder, när smärtsamma åren bullrat sig bort i fjärran
och när vårt sista öl oss hugnat i dödens ro,
när våra själar fara att darrande dömas av Herran
och vårt törstiga kött blivit näriga maskars bo,
minnas vi ångest i glädjen, minnas vi ängslan att leva,

minnas hur hjärtat oss brände bakom glädjens billiga
flor?
Skåda vi då som en satan bak' molnens reva,
med hjärtan fyllda av visor och lust till lust och hor?

Nej, vi ha skrattat åt åsnor, fast skymda av ängslans
skugga –
glatt mot grinande apor må vi höja en fylld pokal!
Ty ock i Dödens ängd ljuvliga blomstren må dugga –
glatt må vi bjuda till dans var slinka på narrarnas bal.
Oss skola synder förlåtas, oss skall en gud försona –
harpor oss givas i händren, ädelstensprydda, av guld.
Ödmjuka oss må vi göra, stadiga leva i trona,
vältrande av oss som trötta barn dom och förbannad
skuld.

(1918)

HAR DU TÄNKT PÅ...

Har du tänkt på hur tiderna skrida
under skyar och stjärnor och sol?
Medan slagna miljonerna bida
sin domsstund vid Domarens stol.
Har du märkt hur all världen stupar
i sin upplösnings stinkande grav,
hur av dunkel omsluten var skräckfylld själ
sin kropp åt förtärandet gav?

Skall lastad av synder och röda brott
ej vår jord med dess myror tumla en gång
hel och hållen i helvetet ner?
Och nya planeter med lättare luft
genom rymderna susa sin färdvägs sång?

Åh, vräk dig i blod, den tid du kan,
gamla syndiga jord, den stund du har.
Försvinn nedåt avgrunden, Tellus, fort.
Det finns millioner planeter kvar.

(1918)

JAG HAR MOD ...

Jag har mod att möta mänskor,
stilla, sorgsna, veka mänskor,
de, som tysta bära bördor,
tunga, hemliga och heta.
Jag har mod att se med kärlek
in i deras skrämda ögon,
jag har mod att trösta dem, fast
själv jag utan tröst och vila
släpar steg för steg mot mörkret.

(1919)

EN VÄG ...

En väg skymtar bitvis, var stilla,
begär ej att se den till slut
men var nöjd med det lilla
– nu har du dock fotfäste några sekunder
och faller du, då är det gott om du faller
på knä.

(1919)

O, DU MIN FADERS BORG...

O, du min faders borg bland fjärran ängar,
o, solskenslysta land där klara älvar gå!
Där evighetens vind går fram på gräsens strängar
och vågor salta renande mot höga klippor slå.
Ja, jag har drömt om dig mitt i mitt armod tunga,
jag drömt jag kröp på knä intill din trädgårdsport,
och kved: Jag var en mask – men jag försökte sjunga,
i svaghet och i kärlek, Herre, jag det allt har gjort!
Ibland var jag beredd att liv och lycka mista,
att lätta bördan som en yngre broder bar –
och stundom kärleksfyllt mitt hjärta ville brista,
ett nödrop vart min sång – men det fick aldrig svar.
Så vart min dag en natt, min möda vart en plåga,
jag tog det allt som gåvor från en sällsam konungs land –
och nu är det förbi, förbi min levnads låga,
jag fyllt mitt glas till brädden.
Nu går jag stilla bort utöver gränsen vida,
till land och hav av tystnad stor, där ingen mer skall lida,
och varje fläckad renas från sin ungdoms smuts och skam.

(1919)

UNDERLIGT DET ÄR...

Underligt det är att älska gamla minnen som ha grånat,
underlig är världen vida, underliga äro vi.
Kärlek, barn och bo och blom så gott jag kunnat har jag hånat
och mitt hjärta det vill brista vid en sång om Nana Li.

(1918–1920)

KVÄDE ÖVER EN VÄN SOM TOG SITT LIV UNG.

Så tyst och så hög och med sång i sin blick
som en drömmarnas konung ibland oss han gick.
Och vi såg hur han stred och led och förbrann
och ingen vart älskad av oss såsom han.

(1919–1920)

NAMNET.

Det lyser och skiner av ära kring namnet –
kring människan som bär det är nattmörkt och
tomt.
Välsignad av packet, av livet förbannad,
han vandrar den väg som har intet till mål.

(1919–1920)

EN MIDSOMMARVISA.

Jag älskar sommarns vindar och solen tröstar mig,
all markens blommor gläds jag med inunder himmelen.
Små myror, viken undan för min fot uppå den smala stig,
vi är så många vandrare som trängas fram på den.

Här vill jag sitta neder på de fallna, vissna barr,
i skuggan vill jag sjunga högt en visa till gitarr.

Fåfänglig är väl mänskans lott på jorden där hon går,
och hennes dagar svinna hän likt röken i en vind.

Hon gläds och bygger bo till dess en kväll vid grinden står
en sorg, en synd och hälsar stramt, då bleknar hennes kind.

Då spela löven ej som förr, ej fågelns sång hon hör,
all världen dansar glädjefull men hon är utanför.

Likt Kain hon blickar emot jord och hör ej Herrens röst
ur åska, storm och blomsters doft och ljumma regnens spel
och det som förr en balsam var för hennes kvalda bröst
gör hennes syn blott mera klar för hennes många fel.

(1919–1920)

DEN HEMLÖSE.

Det hände en gång att en yngling en natt gick vilse i sin barndoms skog. Han kände sig främmande på gamla platser, där han älskat och lekt, och gamla stigar och vägar voro villsamma som om han aldrig vandrat dem. Men i skogen råkade han på tre kvinnor, som älskade honom.

DEN HEMLÖSE:

Jag är här för att söka ögon,
som immats av livets nöd.
Mitt namn är bara Hemlös
och jag kom ej att be om bröd,
fast jag hungrat i åtta nätter
och törstat min strupe vit –
vad har ni att ge en vandrare,
som gråtande irrat sig hit?

FÖRSTA KVINNAN:

Så tag mina mörka ögon,
de ha gråtit i sorg och fröjd.
Och tag min vita panna
och min mun och kyss dig nöjd!
Mitt bröst har svällt av längtan
att tryckas hårt och hett –
jag får aldrig fred för bröstet,
innan något ljuvt har skett.

ANDRA KVINNAN:

Nej, tag du min själ och min kropp
och bränn dem i samma brand.
Jag skälver av längtande smärta
och som asplöv darrar min hand.
Jag är skapad för dig och jag lider
allt helvetets röda kval
så länge du står där liknöjd,
klädd i ditt svarta skal.

TREDJE KVINNAN:

Jag älskar din blick för själen,
som tänt sitt ljus i den.
Jag skall vara din andes ledsagare
om du blir min följesven!
Ty jag älskar dig för ditt hår,
som grånat vid trettio år.
Jag vill vara din hjälp för livet
och hela ditt hjärtas sår.

DEN HEMLÖSE:

Hör, stormen ropar i ruggig natt!
Hör, träden knaka, som djävlars skratt!
I min dräkt tar vinden var trasig klut –
kan ingen säga mig vägen
som leder ur natten ut? –
Till min kropp och min själ ha ni alla trått
och allt vad jag hade att ge, ha ni fått.
Jag har lyst er i mörkret, jag har sjungit för er –
ge igen det ni lånat – jag begär ej mer!

FÖRSTA KVINNAN:

Din själ är ett stackars spöke
som gör dig ond och vred.
Jag skall smeka din kropp till yra,
när din hjärna har gått ur led.
Jag skall sjunga dig sövande visor
och låtsas jag visste din själ
och leta din innersta önskan
och vara en älskad träl.

DEN HEMLÖSE:

Min innersta önskan vet jag ej själv
och ej kan du gissa den ut –
men säg mig, minns du vägen,
som leder ur skogen ut?
Vet du av någon döende gråhårsman,
som har levat ett liv som jag?
Och som fallit som jag och syndat
i sin bittra ungdomsdag?

Vet du av någon jordhöljd koja,
där en bedjande människa bor?

Vet du av någon man som lidit
som jag, och ändå tror?
Var är bädden där sömn hugsvalar
en hjärna som tröttnat av slit?
Jag vill älska dig hett och länge
om du visar mig vägen dit?

Jag har talat med dig om min stackars själ,
som är hemlös och utan bo,
och jag kysstes bara till tystnad
och hörde ditt tal om tro.
Hur djuriskt oskön och galen
i din mättade famn jag låg
och kände mig dubbelt ensam.
Det var det du inte såg.

Jag har fått din kropp för min ande,
jag har fått ditt knä och din häl,
och din lystna mun, dina länder,
och du har fått min själ.
Men du kan inte läsa i den,
det är dig ett främmande språk,
fast du rört och rotat i den
med gråt och skratt och bråk.

Så tag mig och älska mig lustigt
i ett varmt och svindlande rus,
tag allt vad min kropp har kvar av
den glöd, som var flammande ljus!
Och när allt är över skall jag
blott en enda önskan ha kvar:
att du tar mitt liv och ger mig min själ,
så får du ha kroppen kvar.
Du skall döda mig sakta och säkert
och mitt hjärta skall sluta att slå,
och jag skall snyfta och vakna,
och jag skall stå upp och gå.

Jag skall gå genom tysta skyar,
genom hav av stjärnors ljus,
och vandra i vita nätter
tills jag funnit min faders hus.
Jag skall klappa sakta på porten,
där ingen mer går ut,
och jag skall sjunga av glädje
som jag aldrig sjöng förut.
Och om någon skall ropa: Oren!
över mager, multnande kropp,
skall ropet studsa mot muren
och aldrig nå dit opp.

Så farväl då! Döda mig sakta!
Jag vill smekas och kyssas som förr!
Jag vill ledas av mjuka armar
genom dödens och mörkrets dörr!
Men sedan vill jag bli ensam,
vaggad av ljusets flod
fram till alltings vila,
där ingen är ond eller god.

(1915)

UR GOSSENS HJÄRTA...

Ur gossens hjärta de sleto bort Gud,
och ur mannen hans sista tro.
Och en vinter kom svartögda jättar från norr
och revo hans sista bro.
Och han byggde en himmel av lerkram och papp,
skönt målad, med änglar besatt,
och en lärd teuton kom vägen fram
och slog det bort med sin hatt.
Och en herre av sanning och kärlek kom till

och ropade: allt är du.
Det var blott dig själv du såg. Och där
utanför finnes ej mörker, ej ljus.

(1919–1920)

HÖGT BLAND BERGEN...

Högt bland bergen under furor, smekt av
morgonvindar unga,
låg jag drömmande på rygg inunder tysta, höga skyn.
Då kring hav av skogar, skorrande, jag hörde järnet
sjunga
och ett kors kröp fram i rymden över byn.

Och en trådlös hälsning ville jag dig, broder, skicka,
rymdens ryttare och ärelystna dödskapten,
innan hundra telegrafer som i feber hinna klicka,
att du bräckt din fågels vingar och man hittat dina
ben.

TILL EN GAMMAL MAN.

O broder, när dagarna skrida
mot tystnadens namnlösa hav
och det lider mot kvälls med att lida
och vägen går rak till din grav,
hur känns det att se dig tillbaka
på allt du har talat och gjort,
och öppna med händer som skaka
var blånad morgon din port?

(1920)

OCH NU VAR DET NATT...

Och nu var det natt över åsar och myrar
och månen stod halv över huset vid bron.
Små stjärnor de blänkte som vänliga fyrar
i blå havet under den konungens tron,
som sänder oss kärlek och drömmar och vårar
och längtan och svek och förlösande gråt
och ger oss den lusten, som gör oss till dårar,
högt hyllad, besjungen och fylld av försåt.

(1918–1920)

VÄLKOMMEN, O VÅR!

Välkommen o vår med din lovsång av ljus
och solvärmda vind kring den ensammes hus.
En urgammal spådom du skriver som ny
med skälvande skrift i den eviga sky.

(1920)

O, KRISHNA...

O, Krishna, vägen blott framåt
ditt folk du visat har,
men botar ej den bittra gråt
och sorg och synd som *var?*
För svår för mig din lära är,
för stolt ditt höga råd.
Den börda jag sen länge bär,
den lättas blott av nåd.

(1919–1920)

MIDSOMMARSOL.

Midsommarsol som strålar het ifrån de blåa tak,
skänk i min glädjes bägare att jag nu glömma må,
att jag nu glömma må att jag med Broder och med Gud
har sak,
och fröjdas åt din klara luft och dina skyar blå.
Och sänk dig sakta, ljumma natt, i bergens svala famn,
och giv åt folk som vaka glatt en fröjd förutan namn!

Låt, sommar, fältens unga korn och täktens vilda bär
få dricka ymnigt dagg och ljus och giva hundrafalt!
Giv must åt klövern honungfull och grann, färg åt
duvkullan skär,
och strö var natt och varje dag välsignelse kring allt.
Så sjunger jag vid hedens kant, vid Kabofallets brus
och dyrkar högt, o sommarkväll, ditt underbara ljus.

(1920)

MORGONVÄKT.

I mörkret stapplande omkull
han trevar sig med nöd framåt,
hans själ av längtan hem är full
och tung som hämmad gråt.

Han vet ej mer varthän han går
än den vars ögas ljus är släckt,
men av ett sus från bergen spår
han än en morgonväkt.

O vind, som över bergen for,
var kommer du ifrån?

Har du ett budskap från en mor
åt hennes smärtas son?

(1920)

EN LITEN VISA.

En röst jag hör genom stormens dån,
där svarta vågor slå:
'Jag drömt om däj som kämpar hårt,
där stormens vägar gå.

Ett tecken gav jag däj i maj,
när solen lyste på strandens sten,
i maj när hamnen flaggade
och inlandsvinden ven.

Gräset var grönt och stormen ven,
och saltskum stänkte vått.
Ditt öga grät och kinden sken
som sol genom skymmande grått.

Ett tecken gav jag däj i maj,
i maj under skyar som blåa år.
Minns du än hur stormen stred
i sol med mitt fladdrande hår?

Det var blott en liten gyllne ring
och en kyss som bränt därpå.
Bär du den vid ditt hjärta nu,
när dödens sjöar slå?'

'Jag bär den, den bränner som eld i mitt bröst
till värme i stormens dån.
Den skall följa mig djupt i det vaggande blå,
den ringen jag fått som lån.'

FRÅN KLIPPANS KRÖN ...

Från klippans krön en konung såg,
högt över Salomos dal.
Där nedom tusen fartyg låg
och land och folk förutan tal.
Han räknade dem en stund – vad mer,
vid solnedgång de fanns ej mer.

(1920)

DIKTER

HOS DEN ÄLDSTE FÖRLÄGGAREN.

Jag drömde jag dog och vart vägd på en våg och
befunnen allt för lätt,
och skickades fort till de nedersta rum på det riktiga
lutherska sätt.
Och en fjärderangsdjävul tog mot mig i dörrn med en
hälsning av dold förtret,
ty bud hade gått ifrån sal till sal: det ska komma en ny
poet.

Och jag tänkte: det tar sin tid att bli känd, men nog skall
det lyckas ändå,
och jag höll mina samlade skrifter i hand och klev modigt
i eldsörjan på.
Till sist kom jag in i en mörkröd gård belyst av
sällsamma sken,
där satan satt och skrev på maskin och gnagde de
skållades ben.

Jag skönjde en nattligt beklämmande prakt, och så fort
min blick blev van,
jag bugade djupt och stack mina blad åt den skäggige,
glödgade fan.
Och han slog sin svans kring mitt livsverk och vass go sitt
ned!
Och vänta en månad ska jag försöka att ge dig ditt sista
besked.

Och timmar och månader satt jag där och rökte i satans
sal

och hörde små pustar av åska och storm från rummen av
välvande kval.
Orörlig som Buddha jag lyssnade till, hur stundom från
ovan en ton
av de saligas spel genom taket smög och kom chefen att
sparka med skon.

Orörlig jag satt vid hans borstiga knän som invid en
Gamaliels fot
och såg hur han fräste och snöt sig ibland med en ilska
som lät som hot.
Till sist såg han upp, lade papperen bort och rev i sitt
röda skägg,
och smilande stödde han knottrigt huvud mot salens
rostiga vägg.

Han sade: jag märker nog tydliga spår av den nödiga
lejonklon,
herrn skildrat sitt eget liv men glömt att leva med
komposition.
Men är den sann denna famlande skrift, då är allt på
jorden på tok,
och han strök mina titlar och skrev med blod: Den
försvagade djävulens
bok.

Och en glädje kröp in i mitt svettiga skinn när jag svalde
sådant ord,
ty så förstådd som nu, så helt, blev jag aldrig nere på
jord.
Och det här är en hälsning till jordens förlag, att
kontraktet med dem är slut,
ty min nästa samling hos chefen själv till nästa jul ger jag
ut.

OM AFTONEN.

Det var om aftonen som sommaren flög rakt i famnen
min,
och jag log som i min späda barndomstid,
och röda, röda blomster i mitt hjärta gingo in
som en doft som var som evighetens frid.

Det var om aftonen jag älskade som jag ej älskat förr
och all världen var min sköna mörka brud,
och mitt hjärta stod på gavel som en salighetens dörr
med en ingång till förbarmandet och Gud.

Och jag hörde gamla sånger komma åter hemifrån,
och av det ljus jag drack blev själen stor och ny,
och alla gamla, gamla träd och alla glänsande strån
de sjöngo in mig i min barndoms gröna by.

Det var om aftonen, när vinden mot det blåa havet drog
som denna glädje lik en ängel grep mig fatt,
och jag förstod att vår Herre varje dag sin tjänare slog
för att spara all hans glädje tills i natt.

Och jag dansade bland träden och jag sjöng för ljung och
sten,
och min visa var så hög som aldrig mer,
och den slocknade som glansen av himlens sista sken –
det var om aftonen, då solen hon gick ner.

STJÄRNA.

Vi låg vid en eld, John Janson och jag, vid kanten av
Rikkika kärr

och han pekade långt över svartnande vidd: "Där låg
min stupade märr.
Säj, kan du förstå hur det känns att ta död på den bästa
vän som man har,
sen hon sparkat sig långt ned i rötter och dy och man blir
ensam kvar?
Du skulle ha sett oss på Bannbergs skog, när snön stod i
selstickan opp,
och vi lastade timmer, en såglängd på stubben och hela
sex kvarter i topp.
Knakande bogträn och läder på sträck, frusna till
skavande horn,
och livet berodde av remmarnas hål och spärret i
spännenas torn.
Morgnar, när snön var som brännande eld när en
lämnade kojans värn
och björnbindslet brände en tvärs genom handsken
precis som vällhett järn.
Backar där skruvkopplet sprang för en knyck av nån
upplent, lömsk liten sten,
och tre ton timmer sprutade ut skaren kring Stjärnas
ben,
och rann på tvären och malde till krafs kälkarnas stålade
don
och åkte i stupet en efter en som skjuten ur en kanon. –
Dagar när västan gick len och varm och skogen stod
lungande blöt –
åh, Stjärna och jag vi slogs natt och dag mot nöden och
föret som tröt.
När lasset sög fast i barbacksgrus när det sista av mars
var förbi,
jag behövde knappt ta åt tömmen en gång – djävlar va
Stjärna tog i.
Dagar när skaren gick upp i skog och svallisen vändes i
sjö,
och hundraårsgranarna brakade av under ton av
drypande snö,

nätter, när smältande modden blev sten i de månvita
timmarnas dis,
dagar, när solen stack hål på hål i tjärnarnas gryniga is.
Nätter i hästtäckets trasslitna skydd, svarta av kolhusens
damm,
när hon drog mig i kolskrindans skyddande bur genom
ösande yrväder fram.
Vägen månljus i rasande storm, som kvävde mitt
manande tal
och bara en makning på tömmen ibland var liksom en
vänlig signal,
ett tecken emellan oss frysande två, att du gav din
yttersta nerv,
och ett tack ifrån mej att du offra dej åt din mödas och
fattigdoms värv.

Genvägen snett över Bastmyrens hals och ett bösshåll
från Lammaloms Nor,
sen det frusit på kvällen och träcken bar tog jag Gud i
hågen och for.
Du gick som på vingar, så snuddande lätt du klarade
farliga kast.
Ett ryck, och du liksom suckade till ett tag, när svartgula
isen brast.
Det var gjort på ett nafs och jag kom till din hjälp med ett
enda väldigt hopp,
och morakniven skar och skar av varje rem om din
kämpande kropp.
På mitt nödrop svarade ingen: en mil var det till
närmaste byn,
och jag såg dina framfötter piska till skum den lösa och
skvalpande dyn.
Jag kan inte minnas, jag vet ingen tid och hur långt om
striden gick,
innan huvudet sjönk och den stänktes av träck, din sista
irrande blick.

Jag såg – dina bakben nådde ej botten – förlorad men
levde ändå.
Du rörde dig än, jag stod och såg på en timme, ja kanske
två.
Du höjde på nytt dina öron ur dyn – skulle kampen räcka
tills dag?
Och jag skalv och bet tänderna hop och gick tillbaka till
släden ett tag.

Där låg min rostiga yxa, som huggit så mången
hindrande rot
och som knackat så många klutar av is ur Stjärnas
linkande fot.
Och jag tog den och hasade sakta fram och jag blundade
när jag slog,
och med stirrande ögon såg jag på hur Stjärna sjönk och
dog,
hur det virvlade brunt, när det bubblade upp små blåsor
i vattnet och dyn,
just som solen steg upp och det lågade rött bakom
Rikkikabergens bryn."

Han tystnade. Myren stod halvvåt och ljum med ångor
kring back och bro.
Och jag hörde mitt hjärta slå lugnt som ett ur, så fridfull
var vildmarkens ro.

KUNG BRÄNNVIN.

Jag smädar dig ej som du smädas av dem, som predika
om plikt och moral,
fast du kom mig att vackla på himmelens väg, som går
uppåt, backig och smal.

Jag älskar dig ej fast du frälst min själ från att vändas i
vanvett kring –
åh – det klara förnuftets öga ser för skarpt på förfärliga
ting.

Jag har hatat dig hett när en fattig och arm du knuffat i
smutsen omkull,
men älskat dig högt för din konungslighet och din
ungdoms och härlighets skull.
Hos mig stal du synen och känseln en natt och lät mig få
drömma en stund
och skänkte ett dödens gudbarn en tung och välsignad
blund.

Två ansikten hade du, konung, ett i kärlek mot himmelen
vänt,
och ett som var upplöst av gråt och av världens smärta
förbränt.
Åt andens stackare gav du ett yxhugg i ryggen blott,
och ett stänk av den eviga glädjen åt den som mycket
förstått.

Jag smädar dig högt för de mjuka och små du kysste och
slog ihjäl,
för det du var bordsgäst hos röda och dästa – för de
många utan själ.
Och nu är du beredd att gå ut från vårt land och de feta
ropar dig kvar,
för deras räkning jag skrattar högt om du ock till helvete
far.

Väl ofta du skänkte ett knippe av liv åt den som var
femfalt död,
och ofta du slog en fattig man och stal den bekymrades
bröd.
Åt den, som var mera en själ än en kropp gav du rosor
och glädjens gråt –

och slog honom hårt, men hans arv ifrån Gud, hans dröm
kom du aldrig åt.

Ty den som satt fast i all jordens träck du tryckte blott
hårdare ner,
men den som fått längtans visdom i arv du vände blott
uppåt mer.
Om du blodat din kåpa med oskyldigt blod må du
smädas av ovän och vän,
men klippte du av en förklarads liv – o konung han
uppstår igen!

JAN FRÅN TUNA.

Klädd som till vinter i stickande sol och med rosor i
knapphål och hatt
går tiggaren Jan från Tuna sin väg genom dag och rolös
natt,
sjunger om himlens härlighet och saligas lysande skrud,
knäböjer ofta bland nässlor och ljung och ber till sin
barndoms Gud.

Galen och vild med rullande ögon, väser, viskar och ler,
kallar oss alla för syndens barn, dårar och ingenting mer.
Visar sin blygd för ett tolvskillingsmynt åt begabbande
gossars spe –
gnäller var kväll om sitt syndiga kött för flickan på Liljas
kafé.

Sjunger bestraffande sånger om Adams förbannade säd,
om Lazari grav, om Sakkeus, som lopp till ett
mullbärsträd.
Och sången om liten Sakkeus jag hörde när kvällningen
brann:
”O, liten till växten var han, de föraktades yppersta man

men han ville dock se den mästaren, vars hjärta var
kärlek och lag,
och mästaren sade: stig snarliga ned, i ditt hus vill jag
gästa i dag!"
Och följd som profeten av hånande rop, går Jan från
Tuna bort
att vrida de smutsiga händer och be att all vredenes dag
må bli kort.

Hest harklas sången som kråkors krax ur tomt och ihåligt
bröst –
men drängarna skratta; vilt faller hans hår, mognat till
dödens höst.
Du kan skratta som drängarna skratta, men om nåd till
att fatta du får,
skall den galne och natten och sången ge ditt hjärta
oläkliga sår.

PER OLS PER ERIK.

Per Ols Per Erik gick i gröna lunden
och tårar, tårar runno på hans bleka kind,
och månen sken så blank på himlarunden
och blana dallrade i östanvind.

Per Ols Per Erik satte sej på hällen
och hörde uppå skogens sorgesus,
och det var höst, och det var sent på kvällen
och vänligt lyste alla stjärnors ljus.

Han bar en sorgesorg i tankar sina,
han skulle dränka sej i Vaina sjö,
för dä va slut mä han och Mattssons Mina
så nu var bäst att bikta sej och dö.

Per Ols Per Erik geck till Vainastranden
me fickan full av spik å skrot å sten,
och säv och näckros gungade kring landen
i vågor, vita uti månens sken.

Per Ols Per Erik tog ett hopp i kvällen,
så vattnet sprutade i selverglans
och skånkarna stog rakt mot himlapellen
å vassen vaggade i böljedans.

Per Ols Per Erik han flöt opp ve näset,
när höstens snö i svarta vatten smalt,
då låg han nöjd å gungade i gräset
och låtsade ej om att det ble kallt.

Men de va längesen då detta hände,
och nu ä Mina gift å stinn å röd.
Per Ols Per Erik nog i graven vände,
om han feck skåda den, som vart hans död.

Och han har bäst i alla fall i mullen,
så tänker Mina och så tycker jag.
Han sover sorglös under ogräskullen,
och han står opp på domens stora dag.

PER OLS PER ERIK: II.

Per Ols Per Erik gick i gröna lunden
och tårar runno på hans bleka kind.
Och stjärnan brann så klart på himlarunden
och bladen dallrade i nattens vind.

Per Ols Per Erik satte säj på hällen
och lyssnade på skogens tunga sus.

Och det var höst och det var sent på kvällen
och vänligt blänkte månans klara ljus.

Han bar en dödsens sorg i tankar sina,
han ville dränka sej i svartan sjö.
Han fick ej gifta säj med Mattssons Mina
och nu var bäst att tänka på att dö.

Per Ols Per Erik gick till sjöastranden
med fickan full av skrot och spik och sten.
Han höll sitt påbrödskort i högra handen,
och tog farväl av det i kvällen, sen.

Per Ols Per Erik tog ett hopp – i kvällen,
så vattnet sprutade i silverglans
och påbrödskortet flög mot himlapellen,
och sockerkortet smalt i böljans dans.

Per Ols Per Erik han flöt opp vid Näset,
när höstens snö i svarta vatten smalt,
då låg han lugn och vaggade bland gräset,
och slapp att äta kommissionens palt.

Men det var längesen, sen detta hände,
och Mina magrat utav brist på brö.
Per Ols Per Erik nog i grava vände
om han fick se sin forna hulda mö.

Han har det bäst i alla fall i mullen,
så tycker Mina och så tänker jag.
Han sorglös vilar under ogräskullen
och han står opp på domens stora dag.

EN SVART BALLAD.

Han hittades halvdöd på ängen vid ån
av Kärr-Mor på heden och vart hennes son
och åt hennes fattiga bröd,
och växte upp till en träl och dräng,
och ängen kallades Hittebarnsäng
och Kärr-Mor blev trött och blev död.

Han släpade tungt som en livegen träl
sitt arbetes ok, och till kropp och själ
ännu ung blev han gammal och slö.
I hans öga jag såg en glimt en gång
av den hjälplöses längtan ur jordens tvång
och en törst att få tröttna och dö.

Han talade sällan och skrattade ej,
och som fallande sten var hans ja eller nej
till svar på människors tal.
Han grävde jord och bar sand och sten
och vilade aldrig värkande ben
förrän kvällen kom sollös och sval.

Då kröp han ihop på sin trasiga bädd
och gömde sig liksom för mörkret rädd
i ett kvävande ångestbad.
Han vaknade ofta i pärlande svett
och skalv för något han ensam sett
som de unga asparnas blad.

Så dag efter dag och år efter år
så blodlös, så kall utan fröjd eller tår
jag såg honom leva sitt liv.
Och tänkte han något, vet ingen därom,
ty nära hans hjärta ingen kom
med böner, list eller kniv.

Så föll en dag en kvällning sen
på hans huvud från berget en liten sten
och gjorde all kvällen till natt.
Och sen dess var hans öga virrigt och rött,
och hans gång så släpigt och mördande trött
och hans tal befängt och besatt.

Ej längre bland kärror och jord han slet
men gick på vägar som ingen vet
natt och dag i skugga och ljus.
Och en kväll under regntung och svartnande sky
jag hört hur han kom till sin barndoms by
och sökte sin mors tomma hus.

Och han fann det – men tomt och öde och stängt,
och med trasor och bräder för fönstret hängt
och gården ogräsvild.
Och han rev alla bräder och hinder i kras
och stirrade vilt in i rutornas glas
och såg sin egen bild.

”Är det mor!” – Lilla mor, jag vill in till mor!
Såg du blixten, som norr över himmelen for?
Det blir slagregn – och åskan går.
Är det inte du? – Var är du i dag?
Det är inte mor – åh, detta är jag –
mor är sjuk, mor är gammal och svag!

Hon kan inte gå – hon är gammal och blind,
kanske ligger hon ensam på kulen vind –
nu – Kärr-Jon, slå fönstret i kras!
Och med blodiga händer han rutorna slog,
och en ruskig fläkt genom rummet drog
över bitar av krossat glas.

Han stormade trappan till stugans vind
med rodnad av feber och blod på kind

och letade ivrigt omkring.
Men intet han fann, blott papper och lump
och hörde blott västvindens buller och dump
bland bräder och murknande ting.
Och han störtade ner under rop och gråt
och i spiseln låg askan, gammal och våt
och av stormen piskad kring.

Genom gapande glugg drev slagregn in
och han grät: ”Varför gick du från stugan din?
Gick du vilse på Hittebarnsäng?
Min far är väl Herren – du mor är jord,
och din son till kung med blod är smord
vid din gapande, tomma säng.”

Hans hjärna gick virrigt kring och kring
med spöken och troll i vinande ring,
tills han domnade, sjuk och trött.
Tills han kröp ihop i en trashöljd vrå
och tog över sig säckar, och mumlade så:
”Nu mor må vi sova sött!”

Och borta vid träkyrkan: långt härifrån
en fattiggrav grävdes åt Kärr-Mors son
och vildvide växer invid.
Där djupt under gräsen han stillsamt bor,
där har han det gott hos jorden och mor
i en ljuslös och ändlös frid.

DEN RÖDA ROSEN.

Du är röd som blodet röda, när det drivs av ärtan unga,
röd som sanden, där miljonerna ha låtit sina liv.

Röd som unga, varma liljor, som för västerstormen
gunga,
skälvande av livets kärlek under hatets hårda kniv.

Du är röd som vallmor röda, du är varm som trogna
händer,
som pioners glans är glansen av de unga mörka blad.
Väx till jätte, lys och låga, du har fötts fast lik och
bränder
hölja marken och fast ångesten är gäst i varje stad.

Du är röd som elden röda och fast brännhett kronan
glimmar
är du fredens ört till läkedom i mörkrets tunga år.
Du är lampan, som oss lyser under smärtans bittra
timmar,
när ett hela jordens jämmerrop mot höga himlen går.

Och du lyser som av glädje mitt i tårarna och nöden,
och du glöder av förhoppning mitt i hungerdagar grå.
Du har glansen av en gudom, som kan frälsa ifrån döden,
framför hårt förtryckta skall du lik ett segertecken gå.

Se, en morgonglans skall skina över fällda, stilla lansar,
se, en morgon till en sol har den växt, din röda glöd.
Genom fridens tempelport och under vita tunga kransar
skall världen vandra sjungande, att Döden själv är död.

KRIGSSÅNG.

Nu storm kring svarta dalarna
de bleka löven strö –
och det är svart natt och vi ha intet ljus –

i stjärnlöst själamörker
vi döda och vi dö
och spilla våra vänners blod på våra kullars grus.

I sena tiders skymning
vi hitta icke mer –
ty det är djup natt och vi ha intet ljus –
vår mördarblick ser stirrande mot jorden ner,
vi döda våra vänners barn och bränna andras hus.

För oss finns ingen stjärna
och ingen himmel blå –
och allt är mörk natt och vi ha intet ljus –
och blodets röda rosor
de växa var vi gå
och dödens ångest flämtar
i tunga skogars sus:

"Vart mänskor gå – och varför –
kan aldrig redas ut,
ty det är nattens gåta,
och den har intet ljus.
I mörker födas, döda de, och dödas där till slut,
och det står skrivet klibbigt rött
på alla vägars grus."

TORPEDSÅNGEN.

Vår vandrings väg var grön av skum,
vi gått den år och år.
Tills havs vi voro i isig höst,
till havs i den sjungande vår.
Vid eldstadsluckan stekte vi
vår hud så svart som sot,

och blinda av ånga och brända av eld
vi trotsade dödens hot.

Vår väg var lång och stormigt svår,
och den klipptes av en dag.
Och vid den leken en blev kvar,
och denne ende var jag.
Så ung jag var men så nära att dö
och bäddas i bröders grav,
sen jag kämpat hårt för min kära och mig
på nattligt och svallande hav.

Vi fruktade aldrig för rev och skär,
vi trotsade snö och orkan,
på Ishavens vidder, i bränningars skum,
på sydlig och ljum ocean.
I pannrummets hetta och brännande kvalm
vi stridde vår tysta strid
mot havets och himmelens vredes skål
i töcknets och ångestens tid.

Om stäv och bog är ett fartygs bröst
som vände mot storm som går,
så är väl maskinen dess hjärta ändå,
som troget slår och slår.
Mot detta hjärta smög en gång
när störtsjön vräkte vred
i svarta vågors vita brott
en tyst och lömsk torped.

En visa hög blir stormens gång,
som sjunges än hård, än mjuk,
men fruktansvärd är torpedens sång
när den skär ett fartygs buk,
när den river upp en sida av järn
som ett djur av vildens spjut
och slungar slavarna utan värn
i det dansande havet ut.

Kamrater som dör, jag sörjer er än,
där ni sväljdes av brottsjön ner,
det var bröder som byggde er egen båt
och bröder som dödade er.
Det var bröder och bödlar på samma gång,
de som laddat den tysta torped,
och de som ni ha kanske sänkts
bland tång och koraller ned.

Kamrater – mitt öga såg dem ej mer,
när det salta vattnet bröt
över smällande pannor och brytande spant
och den lössläppta ångan tjöt.
I dödens armar kvävdes de
och gingo till sitt rum,
och stormen flög över öde hav
med vingen våt av skum.

SOM LITEN ...

Som liten drömde jag ordlöst ve
om namnlösa ting, såg det onda ske,
det som icke har slut eller hopp.
Det skälvde, borrade, slipade ben
och vältrade berg av formlös sten
över skälvande gossekropp.

I skräckfyllda rum flöt natten hän,
fast min aftonbön på böjda knän
jag bedit i skymningens stund,
i en ändlös pinande evighetsring
förblindad jag slungades kring och kring
och stryptes för var sekund.

Det har intet språk: det var ingen tid,
intet rum, icke ljus, endast formlös strid –
det var helvetets hemlighet.
Vid min skälvande kropp satt min gamle far,
och när matt jag sporde vad drömmen var,
så sade han: ingen vet.

MILRÖK I.

Längst, djupast i ändlösa skogar, bakom urberg,
stupande grå,
bortom svindlande, ändlösa hedar, där dagarna
dödstysta gå,
där jäser i smältvit hetta ett bål under stybbade bryn
och silar ur hundra små gluggar sin gråa rök mot skyn.

Där kring går en nattsvart mänska med ögon som vitt
porslin
och svettas i kamp mot hungern och med bröstet mot
vinterns lavin.

All eld som brinner är eld, fast den göms som vore den
död,
all eld är äkta eld, fast den ej lyser som druvor röd.

Den glöder ändå därnere, den bränner sig längre ner,
och gräver sig ut och flammar i natten, när ingen
ser.

Så glöder, så brinner en mänska av hat, av hopp och tro,
så går från djupet små rökmoln och somna i skogarnas
ro.

Så stiga den gömdes visor ur jord och bränder fram,
och smyga sig drömmande ut över urbergens trasiga
kam.

Det hela är röken bara av en ande som trotsar och ber –
det är grått, det är släckt, det försvinner, det är milrök –
ingenting mer.

MILRÖK: II.

En gång i ändlösa skogar, där urbergen stupande stå,
bortom svindlande, vida myrar, där timmarna
dödstysta gå,
där välvde i smältvit hetta ett bål under stybbade bryn,
där tumlade väldig och vitgrå den fräna röken mot skyn.
Där kring gick en sotig mänska med ögon som matt
porslin
och svettades hett under sotet i de vassaste
vindarnas vin.
Hans själ kunde brinna som andras, hans bröst hade
hat och tro
och hans längtan steg med röken ur skogarnas eviga ro.
Han sjöng och hans sång blev röken från ett bål som
helt brann ner,
det är vitt och svart och försvinner, det är milrök
och ingenting mer.

BUDDHA.

Den heta dagens röda sol har sjunkit stilla ner
i bergens svala skuggors famn och lyser Dig ej mer.

I natt på stjärnomtindrat berg inunder Sala-trän
Din själ skall bo i helig ro, när skaran vandrar hän.

Du hoppas ej och beder ej, var gudom du försmått,
en stund Din själ en stjärna är och sedan mörker blott.
Ty för en åtrådd infartsport till Fredens tomma hus
Du offrar glatt för intets natt allt Brahmas klara ljus.

Välsignad vare Du, o son, som vägen stakat ut,
och åt Sansaras heta sorl har gett ett ljuvligt slut.
Om i Vibharas håla än jag stundom ligger gömd
den hemlighet av Dig jag vet skall aldrig bliva glömd.

Arjunas hästar Krishna styr i stridens heta larm,
och slätten dricker ännu blod ur mänskosläktets barm.
Men allt som skapas skall förgås på Lagens stränga bud,
och Lagen själv skall ock förgås, och varje mäktig Gud.

Din väg är röjd och ligger rak, det finns ej sten däri,
och ropar Dig en gud i natt – o son, Du går förbi:
Du går att frälsas utan tro och salighetsbegär,
Du tager slut, Du vandrar ut till det, som icke är.

ÅSKA.

I.

Jag hörde hur ljungelden samlade hop
till strid i de väldiga valv
och såg hur all rymden blev till en blick,
ett flammande öga som skalv,
som skalv över jorden, där människobarn
hade tvättat varandra i blod
och bland slättens ruiner och vallmo

det snyftade: mänskan är god!
Jag såg hur åskans ögonbryn
begrundande drogs till hot,
och en glimt av Guds öga föll ned bakom
som ett sprakande, glödhett klot.

Är du släkt med guden som lär oss
slå städer och byar i brand,
du som samlar och kastar allt himmelens ljus
som en sten ur din väldiga hand?
Har du kommit likt Herren till Mamres att se,
vad ryktet om Sodom sport,
och om i Gomorra så illa som sagts
emot dina barn man gjort?

II.

Men slagregnen strömma och örterna grönska,
där ängarna vattnats av blod,
och barn ser jag leka och kinder och ögon
viska att mänskan är god.

III.

Men ofta jag önskat att träffas av dig
och falla till jord av ett väldigt slag
av den näve, vars kraft i världarnas morgon
blev fader till natt och dag,
vinranka och vallmo som lyste rött
i solen, där nyss vita ljungelden slog –
och evig tystnad, när solen på nytt
mot mitt brustna öga log.

Ty vad är väl all oro i människans blick
om ej släkt med blixt som slår,

och allt mummel, som stiger ur trotsiga bröst
om ej barn av åskan som går?
Ty allt är ett, så att om jag dör
i en ljungelds sekundlånga brand,
när jag själv var en del av den elden
jag dör för min egen hand.

IV.

Varför tala om död när vi leva ännu? Det är gott, att
ännu vi se
än med barnets tacksamma ögon och än med hjärtan
som ej kunna le
mot remnande moln då åskan går, mot stjärnor och rosor
och sol
och än vilja häda och än böja knä vid Den Okändes
konungastol.

V.

Ty en hemlighet är allt vårt liv,
sol lyser där natten gått,
och barn växa upp över multnade ben,
där fädernas slaktning stått.
Mina ögon ha fröjdats åt solen
och min mun har mot våren lett,
men mitt hjärta längtar mot ängder
dem intet öga sett.

VI.

Hur kan jag då vandra härnere,
när rymden av stjärnljus är full,
i städer bland stinkande gränder,
när himlen har gator av gull.

O ängel med vilande vingar,
med en panna som Beatrice,
fly ut över muren av jaspis,
och bär mig till paradis!

HADES.

I.

Jag var son till Kronos, men oändlig smärta led jag
i dagar bullrande av glädje, nätter röda av mitt hjärtas
dom.
Hårt beprövad, stundom drucken fram i barns och
narrars sällskap skred jag
tyst där dödens öga lyser mellan vårens blad och blom.

Och min broder är densamma konung över salta vatten
vida,
stormens unga gud med gråa vingar och det
stjärnehöljda hår.
Och jag däljes bäst bland dem, som av evig längtan
lida,
och på taket av min konungsborg orkanen evigt rår.

Ännu är jag samme Hades, som bar in all dödens börda
och som hällt var själ som vatten dit, där solen aldrig ler.
Ännu hör jag liksom ovanfrån var Jason plöja, så och
skörda
för att själ på själ som dagg må droppa i mitt rike ner.

II.

Jag är samme gud som fordom, kring mig heta stormar
jaga,

skakande som multna löven kransar från var ny och
jordröd grav.
Ännu går jag liksom fordom att inför min fader klaga,
dock ej mer för dem som dödats men att liv han en gång
gav.

Jag är människa ändå och fylld av hetta, skratt och
plågor,
och förgängliga småting av jorden fyllde ofta min håg.
De ledsagade mitt hjärta men de slocknade som lågor –
flammor voro de från djupen där mitt dystra rike låg.

Jag skall vänta här i djupen tills jag hör hur gudar kalla:
Du må ingå i vår glädje och bli klädd i ljusets skrud!
Jag skall bida tyst och länge, höra änglars röst befalla:
Låt ditt hjärta vara stilla inför Gud!

Å, BRODER, NU ...

Å, broder, nu ha vi sett det allt,
de som dö, de som ännu leva och de,
som kämpa i mörkret för en timma av liv
för ännu en smärtfylld, bitter minut –
och vi själva? Vi gå här ännu kvar,
fast långt på väg in i skuggornas skogar.
Du hostar så styggt – hur är det med bröstet?
Lika gott – alla bröst skola brinna och brännas.
Men själen, broder, du själv – det är värre!
Du har ingen frid – du har ingen glädje,
och det liv du har kvar är det enda du har,
du värnar det noga – å, jag gör så med,
men – det tjänar till intet, det slocknar ändå –
och vart ska vi ta vägen, vi arma två,
vårt dagsverk är slut och allt vad vi gjort

var själviskhet bara, när det var som bäst,
och vi liksom skämmas för livet, vi levat,
så smutsigt, så vidrigt, så dumt!
En hel hög med lögner och all slags synd,
och det lider mot kväll – ha vi nattkvarter än?

Din gud var det goda, som du skulle göra,
och min var det stora, som jag skulle skapa,
och vi voro lystna på ära och billigt beröm –
kanske inte – ibland liksom tvivlade vi på oss
själva
och kanske på det vi tänkte att göra
men trodde igen, och så blevo vi vackert
bedragna på allt det heliga
och sitta nu tröstlöst och stirra på solen,
som sjunker och sjunker och snart är försvunnen.
– – –
Ge upp dina gudar! Jag kvittar med mina,
nu är det vi ensamma bara som finns,
och allt det vi tänkt och allt det vi gjort
var bara vatten vi togo för vin. –
Ge upp dina gudar – de äro som spöken
och min har förvandlats till bara ett grin!
Ibland till en sköka och alltid ett svin,
blott sällan en blomma . . .
Nu be vi ej mer, tro ej mer på det gamla,
låt allt du höll heligt multna och ramla,
nu söka vi annat, som håller att ta i,
som inte blir luft fast vi sluta att andas
med slemfyllda lungor . . .
– – –
Å, broder, kom hit, hit i vrån helt sakta –
vill du inte vi bedja en bön för oss själva?
Varför vilja vi längre så envist bli kvar
i det murkna, som gungar för blödande fötter?
Vad binder oss mer? Var det vänner? Kärlek?
Bah! – De kunna ej följa oss längre – för övrigt

så hava vi inga, ty var och en trodde sig själv
och hade så nog – – –
Vår kärlek? Bah! Har du glömt att din ungmö
som blomster blir gammal, skall skrumpna och falna?
Din egendom? Dåre! Det skräpet var bara
små leksaker åt dig! Din heder? Låt vara,
det är gott, att den räckt ända hit, som vi levat!
Här är platsen och tiden att bedja till Herran.
Du tror ej på honom? Välan, bed ändå!
Om han inte finns, så förlorar du intet!
– – –
Nu smeker natten med mörker och stillhet,
nu lyfta vi händer med ögonen slutna. –
Du darrar? Var stilla, han hör oss, han hör oss,
jag känner hans frid som en vinge av vithet
i mörkret. – Böj huvudet, tag, när han giver:
För den, som bor högre än stjärnorna blänka
två syndare säga sin synd och sitt liv
och stillheten svarar . . .
Och nu är det över – det kanske var svårt,
du darrar ännu – men det är ej av fruktan,
du dör, men du dör ej förbannad och hopplös.
Å, broder, vi dö framför porten till livet!

PESSIMISM.

Jag har drömt om döden, när pulsarna bränt
och när blodet har jämrat och gråtit –
hur skönt är att dö – en utträkad man,
som har lidit och slutat att tro
och vars vänner och gudar i jorden bo –
det är jag.

Den som hatat som jag må gärna dö,
det är vila att sluta förnimma. –

Ett ögonlöst djur i en ljuslös sjö
under heliga stjärnor som glimma
är jag lik. –

FRESTAREN.

”Och i natt kan jag giva dig allt vad du vill,
all världen – önskar du mer?
Om du blott för min ondska en enda gång
på ödmjuka knän faller ner.

Du skall bliva som jag – som urberget hård,
med en panna, fast som metall,
du skall slå de svaga och le åt blod
och själv vara liknöjd och kall.

Du skall vandra i vildmark och finna din väg
genom nödens bittraste höst,
när du frågar skall mörkret giva dig svar,
och i gråt må du hava din tröst.

Du skall svika din kvinna för nöjet blott,
och din vän för silver och gull,
och din bror skall du hata för hatet självt
och en fattig för trasornas skull.” –

*

Allt detta blev talat en ondskans kväll,
när synden var röd som blod,
allt detta har djävulen lovat mig,
men det fattas mig kraft och mod.

NYÅR.

Du nyår som susar med vingar av glänsande snö,
som blandar med glittrande solljus den bittraste vind
och tänder mer flammande rosor på jungfrulig kind
och kramar än hårdare bröstet på den som skall dö –
jag hälsar dig nyår med glänsande vingar av snö!

O giv att all världen till slut måtte bliva som då
när Herren ej ännu befallt någon gräns mellan vatten
och land,
när ännu ej djurögat stirrat mot rymdernas blå
och ännu en svagling ej rivits av tass eller hand,
och kärleken ännu ej kommit att locka och slå –
O giv att all världen till slut måtte bliva som då!

DEN DÖMDE.

Inför eder, mänskor alla, vill jag stillsamt falla ned,
här där dödens vindar mumla över hård och öde hed.
Ej för Gud men inför Eder kläds min kind i skammens
snö
och jag tackar er av hjärtat om I dömen mig att dö.

Svagt i kärlek var mitt hjärta inför mina likars kval,
mina brott mot Eder, bröder, är som stjärnors tal.
Självisketens ande bar mig i min ungdoms stolta vår,
mina bröder jag förrådde under mödans mörka år.

Jag förtalade och sålde dem för ära och för bröd,
för att själv stå upp och lysa skänkte jag dem mörkrets
död.

Och det stora onda högmod, det som ej av gränser vet
bar jag fram för er förborgat i en blick av ödmjukhet.

Jag var feg och tordes sällan i en broders öga se,
och jag skalv av ångest när jag sågs mot själva döden le.
Nu min bikt är klar och kort, ty: bröder, jag är sak
till allt!
Och jag går mot döden gärna, när min broder så befallt.

Binden därför med en trasa mina skygga ögon om –
bly som viner – jag dig lockar – nickelmantlad bödel –
kom!
Dock ett ord, ett enda litet, återstår att säga än,
Hören, hören min predikan högt ur skymningen: "I män

skolen, när jag tyst har störtat mot den kära jorden ned,
alla mig med frid förlåta, ingen lämna kroppen vred.
Eljest skall jag själv befriad upp från gräset stilla stå,
medan I med röda synder dömda, oförlåtna gå!"

MARGIT.

I.

Hon föddes om våren när tranorna drogo
mot norr över skogarnas grönskande krön
och isarna vindvakar nattetid slogo
och solen gick hårt åt den svartnande snön.
Det var plåga och mörker i kojan den natten
och knappast en stjärna i grånande sky,
till sjukkost fanns kornbröd och salt och vatten
och tre mil var vägen till närmaste by.

Och dagern som lyste i Margits öga
blev porten till natten och vilan för mor –

men hunger och trasor betyda så föga,
när livet vill starkast. – Margit vart stor.
Åt storbonden Matti hon vallade fåren
och redde hans hampa och spann hans ull,
och sjöng sina vallande visor om våren,
när jorden av nyfödda blommor var full.

Tre mil över bergen hon vandrade trägen
till kyrkan och livets förlossande ord,
och ej må den människa klaga på vägen,
som vandrar till Herrans välsignade bord.
Och ofta hon knäböjde andfådd i gläntan,
där skogen slöt kyrkan i pingstny skrud –
hon var som en blomknopp som sprängs av förväntan
på lusten i livet och undret i Gud.

II.

Men då Margits ungdom rädd och blid
gick över i yra och skälvande år,
då försvann som den borde den vårliga frid,
och hon gick den väg som var kvinna går
och som varje visa sen Skriftens tid
besjungit som farlig och svekfull och kär
och fast tadlad ibland den helgedom når,
som står Herrans härlighet när.

EN VISA I ENSAMHET.

Jag sjunger min visa slätt aldrig för dem,
som leva med ro intill döden,
jag sjunger som den, vilken ej haft ett hem
på jorden, en sovplats i nöden.

Ej mera jag biktar allt skräp jag har gjort
eller tigger om vänners välmening,
helt ensam, o Gud, jag står vid den port,
där man väntar på dom, eld och rening.

Jag sökte en kulle att vila uppå
och i drömmar och stjärnkvällen somna,
men dömdes att jämt från mitt läger uppstå,
tills de värkande lederna bortdomna.

För mig ingen tystnad i midnatten fanns,
och väl aldrig jag sovit som andra,
och de fåglar som jublat i morgonens glans
ha blott väckt mig på nytt till att vandra.

Men jag vet, att Herren av Ande och Lag
min kamp och min strävan känner,
förgäves jag icke har levat en dag,
fast jag dör utan hus eller vänner.

Och jag har väl ej mycket att sjunga för er,
en god natt jag önskar er alla,
och jag viker från vägen, när solen går ner,
för trött av att uppstå och falla.

JAG HAR MÖTT MIN HULDRA...

Jag har mött min huldra i öknen en gång,
och skall minnas dess röst tills jag dör,
och eländigt jag nynnar min stammande sång
i all skapelsens gränslösa kör.

STRID OCH VÅR.

Det finns ej ord för sången
om dem som levat glömda,
men tysta gjort sin gärning,
för smickrets visor gömda
i härens djupa led,
för dem som tåligt burit
det ingen ville bära,
för dem vars namn ha saknats
där hjältar skördat ära
och stormän glömt sin ed.

KRIG.

Det sitter en gud i det blåaste höga
och blickar neråt jorden på djurens besvär:
'Nej titta, mina maskar, de krälande tröga,
de har skaffat sig kanoner, de döda med gevär.
De ha ändrats mycket redan,
de ha titlar och namn –
det är tider sen de avlades i ursprungets famn.

Det är tider sen jag skapte dem att älska och äta,
sen jag gjorde dem av stoft efter belätet mitt –
Nu tävla de med djävlarna i konsten att träta,
nu bråka de om honorna, om mitt och om ditt.
Det bullrar, det flammar,
det är byar i brand,
det luktar blod, det jämrar sig från svartbrända land.

Det är tid att bli kräldjur igen och börja krypa –
det var underligt att ont skulle komma av gott.

Deras lek är att bränna, deras lust är att strypa –
det är bättre, att jag dödar dem och skapar något
smått.
Det klotet må jag slunga
in i solarnas glöd,
här blir aldrig någon trevnad, förrän jorden är död'.

POSTVAGNEN.

Den kom i storm och senhöstfrost –
ur dimmor dök den fram
med brev från mor, med brev till mor,
med bitter sorg, med kärlekspost,
med allvarsord och barnaglam
från världen, ond och stor.

Den väntades vid knut och vret
till hundra ögons tröst,
den kom med brev, med bud till den,
som bar en kärlig hemlighet
i varmt och hoppfullt bröst.

Den kom med brev om sorg och död
och skumma ögons gråt,
och hälsades av tusen ljus
i tusen hem, av fröjd och nöd
vid höglandsvägens grus.

Nu kommer den ur töcknig skog
på våta ängar fram,
i midnattsregn, i midnattsfrost,
med stormens gång i myr och skog
går nattens jättepost.

Den går med eld och går ej trött
och går till tusen hem
i yra, snabb som vindens sus,
i brokig glans av grönt och rött,
en virvelvind av ljus.

Och bakom rutors gula glas
stå nattens vakna män
och de ha brev till far och mor
och de ha brev från hamn och skans
från hela världen ond och stor
med bud från vän till vän.

NATT.

Jag vill ut till att vandra i vildmark om natten,
till att leta mig vägar där ingen har gått.
Jag vill stanna på Matalams stenfrusna vatten
för att hölja mitt vemod i skymmande grått.

Jag vill hälsa dig, hemland av sånger och saga
och av snö kring Ajatteles klippor och snår;
mitt frostiga arvland där rävarna jaga,
medan midnattens hunger kring skogarna går.

Mina marväxta tallar ha torkat med åren,
och se storfuran lutar sig trött för att dö. –
Det är grått, det går krypande skymning i snåren
och i topparna visslar en västan om tö.

Och ur skuggornas djup klinga urgamla låtar,
där är vallhornets lockton med vemod uti,
där gå viddernas visor kring vindfällda bråtar,
och den själ som de fångat vill aldrig bli fri.

Så jag hälsar dig, gran, som min ensamma like
och jag räcker dig, ungbjörk, min trofasta hand,
och jag kallar mig fri fastän här i mitt rike
jag har fångats och snärjts av det namnlösas band.

SPELMANS MOR.

Jon Spelmans mor är gammal och grå,
men ögonen drömma så unga
av gammal eld som i hjärtat bor,
och som förr brukat brinna och sjunga,
men tvungits att tiga av år som gått –
en underlig kvinna är Spelmans mor!

Små sagor i sol över ängarnas gräs
i frostvita höstnätter brukar hon drömma.
Om majvarm luft över daggvåt slog,
där savfyllda ådror brista och tömma
i stjärnglans sitt vin över grenar och stam
i minnenas vårgröna sägenskog.

Och ibland kan hon drömma om dystra ting,
om kistornas svartglans och ljus som skiner,
om silkessvart – sorgklätt och florbehängt kor,
och skurade salsgolv och tunga gardiner,
och storstugsstök på en söckendag,
och gästrumsbäddning där ingen bor.

Då tror hon att sorgen går kring i byn,
och att någon skall dö i släkten,
och när rävarna skälla i lenvädersvind
och uvarna ropa i täkten,
då väntar hon sorg till sitt eget bo,
och granris till egen grind.

Då tänker Jon att det kanske blir han,
som skall sluta sitt vildmarksöde,
eller sierskan själv, som år efter år
har grubblat och drömt om de döde,
som sitter som portvakt vid skymningens dörr
och ser huru tiden går.

EN GAMMAL KOLARE.

Min lyktas ljus går flämtande
för min tunga, klumpiga fot –
jag är en förlupen människa,
som lever bland jord och sot.
Jag är gammal – jag fyllde sjuttio
en mödans rökiga natt,
när i ångande dunst över skogarna
fullmånen gulröd satt.

Min väg går ensam och trevande
över Rammbergets nattmörka mur
medan stjärnorna lysa flämtande
all markens hungriga djur.
Jag är bunden fast vid det sotiga
av svältens och trasornas lag,
och mil och mil bort i skogarna
hundrade vandra som jag.

Det är som ett ändlöst vandrande
på en fattig och frusen hed –
vi skaptes nog en av tiderna
när Herren var trött och vred.
Tills vi dö gå vi alla undrande
över kölden i liv och död –
om det gives en himlens salighet
bortom livets salt och bröd . . .

BRANDEN.

Se, våren går ung och grön
över ängen vid Norrbysjön,
över rosor och gräs står natten
tyst som en vaksam mor.
Men vid skummaste timmens slut
flyga lekande lågor ur
och slicka på taket av näver,
där spelman i Norrby bor.

Och spelman spelar i By
och ser flammor mot grånad sky,
och han flyr med dödens oro
som en gam till hotat bo.
'Åh – nu brinner ditt torra bröd,
och den gråa, gamla är död!',
sjunger västan, 'den vita handen
är svart som en kråkas klo.'

Där står tätt som en mur av bly
allt folket från dansen i By,
och på knä står spelman i gräset,
vit som ett kallnat lik.
'Åh, Gud, har du frälst min mor?
Hjälp min otro, Herre, jag tror –.
Då steg mot purprad himmel
ett dämpat dödens skrik.

'Hennes täcke var vitt som snö,
hennes blommor svartna och dö –
allt är mitt i natt', sade stormen.
'Jag är stark och gammal och van,
åh – den röde och jag ha gått,
som en pest har bröllopet stått,
sedan dagningen for över bergen,
vit som en nyfödd svan.'

Men som en som ej ber om mer
sjönk spelman till jorden ner
och lågorna smekte hans huvud
mitt i rosornas döende hop.
Som den dödande rödes vän
högg stormen tag igen;
som ett hav av brandgula liljor
stod himlen och såg på hans dop.

'Kom den gamla inte ut?
Har hon nått sina visors slut?' –
'Det var sista gången', sjöng ängen,
'och sedan är ej mer.'
Och en lysten fläkt rörde om
mitt i apelns kolnade blom
när den sista vita tulpanen
föll död i elden ner.

Men en spröd och drucken klang,
likt en vitbränd sträng, som sprang,
hördes snyfta borta i gräset
där en tungsint vallmo dog.
Det var spelmans svarta fiol
som sjöng slut i morgonsol,
när dagen på dimmiga vingar
över våta ängar drog.

EN UNGDOMLIG VISA.

Vi ä' bara fattiga pojkar och flickor
som dansa i solen och bada i snön.
Dä' vi som skratta så västvinden stannar
och dansar en hambo på sjön.

På vägen gå pälsklädda gubbar och gummor
och nicka i vinden och hälsa åt oss.
Vi simma i drivor och tumla i klunga
och hoppa och rasa och slåss.

När solen går röd bakom Älgbergets granar
och snön går i blåaste blått,
då bygga vi borgar av storstugans stolar
och sova i sovande slott.

Med segel av siden vi segla till månen
och lägga i land vid den silverne ön.
Vi skratta som förr och vi rasa och hurra,
och hälsa till gubben från jorden och snön.

Då bo vi i städer med blodröda vallar,
och titta på jorden från pärlblåa torn,
och då ska vi slå på bleckkastruller,
och då ska vi blåsa i horn.

HANDLING.

Jag ger allt förnuftigt skräp för en dåres bleka mod,
för en hopplös blick av is framför fängelse och död,
vart ljumt och stillsamt ja för en sång till vin och blod,
en visa och ett skratt framför fängelse och nöd.

Jag vill sälja min förhoppning för ett skratt bakom den port,
där den dömde aldrig drömmer och aldrig mera tror,
för en hjärna som blir kall tills sitt sista värv den gjort,
och en blick som ser mot döden som mot en gammal mor.

Jag vill se en man som tröttnat att vara röd och vred,
som har dödens vita kyla i sitt hjärtas vida valv –
som hög och tyst och blek ser sin sista sol gå ned,
och som aldrig här på jorden för ett domaröga skalv.

Och drömmer jag väl bara eller välver ej en vind
över fälten, genom gränderna, ett rus av eld och gift?
Och skrives ej i harm något rött på varje kind,
någon tjusande och farlig och blodig gammal skrift?

Men bort med varje rodnad, kom med grus och is och
snö!
Låt oss tänka kalla tankar och bida vår stund.
Låt oss sjunga höga sånger, ty se, vi gå att dö,
gå att sova ut för evigt sen vi handlat en sekund!

TILL DEM SOM TÄNKTE TANKEN OM BORGARGARDET.

Förlåt en yngling som kommer för sent, och vevar
en slagdänga blott!
Och sjunger sin visa så här efteråt, alltefter den gåva
han fått.
Ty si, jag ligger vaken ibland och vrider mig grymt
på min halm,
och somnar jag in bortåt midnatt, jag drömmer om
Östermalm.

Och jag tycker jag liksom i drömmen små ögonblick
lyckats se
den mannen som väldig och ohängd fann
borgargardets idé.
Ibland är han hög och betydande, på väg till verken,
har brått,

ibland är han svettig och skinande, en gros i såpa
och flott.

Det är han som gillar det rätta, vars hjärta för
sanning slog,
förfinad, med veka söner, som kräkts på varenda
krog.
Ibland bär han ordnar på bröstet, som regnat från
borgarnas borg,
ibland är han stel och högtidlig, en hökare klädd i
sorg.

Det är han som är konstens beskyddare, och delar ut
åt de små,
honorar för utrivna hjärtan, som han aldrig lyckas
förstå.
Han är sann patriot på bordellen, och i kyrkan vid
bön och psalm,
det är han som har hus med hiss och bad och W.C.
på Östermalm.

Och allt vad hederligt arbetsfolk med möda och slit
utan slut
försöka att skaffa av kunskap och vett, det låtsas han
ha förut.
Och slutligen är hans hustru en gås, med en hjärna
som livlös gröt,
med teaterbiljetter och klassinstinkt – ett påhängt,
utklätt nöt.

Bakom honom smyger en magrare karl, och deltar i
ropen om bröd,
en benrangelsman mitt i vårens gräs, som väser sin
visa om död.
Han sätter sin barockfot bland blommor och löv, och
drar en begravningspsalm,
och jag tycker han sneglar, han också, bortåt
borgarnas Östermalm.

VISA OM FÖRR OCH NU.

(Diktad på kafé Verdandi en skön afton)

Du är ej mera vad du var, ditt tak är rökt och frätt,
på dina plåtbord stirrar stumt ditt Wieselgrensporträtt.
Och tidens arga, vassa tand har ritat streck däri
av undran vart den for iväg, all hopplös poesi.

Du ungmö bakom rämnad disk, du är för ung ändå,
att riktigt skarpt bohemers gamla håla rätt förstå.
För här gick skalden Höglund och Eck och målar Häll,
och det var här artisten H. fick stryk av X. en kväll.

Och nu, en gammal varg som jag, jag går ej mera hit,
där bakom gul gardin jag mött bohemens bleka svit.
Och du som läser visan min, stryk bort den stolta tår,
och följ mig till ett nytt kafé där gamla stimmet går.

Kom, visa mäj en flock av män som ha artisters skick,
bekymmer aldrig för en stund, men evig eld i blick.
Och säj mäj, nu för tiden dricker dom ej kaffe mer? –
Då gå vi med där glada män sin porter hälla ner.

Så vandrom vi, så tågom vi med visor, larm och skratt,
där arm bohemen sväljer ömt sitt vin i bitter natt.
Så drickom vi, så drickom vi tills dagen stândar klar,
tills den av oss som prövats mäst sin sista resa far.

EN DÅRES SYN.

Jag såg hur Otterhällan laddades av välment dynamit,
så att en katta jamade av fruktan, o och ack!
Jag lockade och berget sade jam och springde dit,
och dynamiten smällade sitt paff när kattan sprack.

Då skällde gällt en surbent orm som krälade på magen,
och sillkatt satt och slukade en hjulbent megafon.
Där pep en plåtskodd stare åt den nya maltdryckslagen,
när månen stoppade ner solen i den vänstra skon.

Jag satte mig på torget att all världens ve begapa,
och såg hur dagens glans försvann i nattens sol.
På Skansen Kronan satt en utspädd apa,
och tvättade sin svans med luden lazarol.

NYÅR.

Det gamla året talar hårt med bröstet tungt av ve:
'Det är mörkt för mina ögon och för blod kan jag ej se.
Och du som kommer efter i en dimmig ström av kval,
får väl räkna mina dödens brott och mina synders tal.'

'Farväl och tack, du mörkrets vakt, som ond vid
rodret stod,
det var ej gott hålla skutan flott i en storm av eld
och blod.'
'Jag lotsat kring med brutna bord i salta tårars hav,
och en bränning förut sjunger högt om en hela
världens grav.'

’Farväl, du år som grånat går till sängs med hår av snö!’
’Blodmättad går jag tungt till sömn i kväll vid
glömskans ö,
och hälsar dig med frid och hopp, du nya, unga år,
fast du som jag har stänk av blod kring ljusa gossehår.

All jordens dröm, allt kärlek gjort jag skövlat
och förbränt,
grymt har jag millioner liv till dödens portar sänt.
Allt vett stod fåfängt mig emot och kärleken stod tyst,
när skräckomhöljda land och hav min mörka ande kysst.

Häran, kom upp, du nya år, fast svagt du varslar dag!
Om ont du blir, om fyllt av nöd, bliv bättre dock än jag!
Väl skall trots allt en morgon gry på natt av storm
och mord,
ifall du fått en smula blott av kärlek med ombord.’

MASKINRUMMETS MÄN.

Du slumrar mätt och tungt i natt, min bror, i bäddad
säng,
dröm om oss, där i stjärnlös natt tornadon dånar sträng!
Du bjöds ej ut till spis, som vi, åt havens gröna gap –
vi drack vårt öl i Windy-Town[1] och svettades vid Kap.

Vi eldare, vi mödans män, vi hava ock en sång,
hårt gnisslad fram i ångans kvalm till skälvande pistong.
Fast ofta komna nordanfrån från is och norrskensbrand,
tvärs genom sotet sågo vi allt söderns jungfruland.

Tungt steg vår fot bland rost och sot i undre världens
kvalm
ur eldens rike kommo vi till land av frukt och palm.

Kring alla hav som dansat hän vår kamp stod het och
svår,
i ångans dunk i nordsjöskum och där passaden rår.

Om lugna hem, om barnaglam och ljus vi drömde nog,
fast våra drömmar ofta dränkts på dunkel slaskig krog.
Vi drömde om vår älskade i fasans mörka natt,
när högt från bryggan ropet steg att revet fått vår ratt.

När däcket ljöd av tunga tramp och vilt var havets svall,
vi stodo troget på vår post bland stål och het metall.
Vi voro sist på däck den natt när minan hälsat på,
i dödens käft vi sågo sist excenterskivan gå.

Vi kommo sist, vi underst från, med ögat skumt av sot,
och hörde havets tunga gång och tyfons hårda hot.
Vårt liv var vigt åt kol och eld, begravna utan värn,
när grym torped gav oss en grav bland slagg och krossat
järn.

Vi eldare, vi hettans män, vi hava ock en sång,
hårt gnisslad fram i ångans kvalm vid slående pistong.
En sång väl hård av tunga år i pannrum och maskin,
och farans gud har skänkt oss rikt sitt mareldsgröna vin.

Och du på första klassens däck som njöt av haven blå,
vårt liv är satt i pant för ditt där ångans floder gå.
Tänk på oss, djupens vakter, du, i hård och stjärnlös
kväll,
när havet går i grön galopp mot hemöns hala häll!

1. Wellington

BRIGGEN SAN ANTONIUS.

År 1886 på vintern förliste briggen San Antonius från Rotterdam på Yarmouths redd. Briggen bar som gallionsbild S:t Antonius, snidad i trä. Denne var det kristna eremitväsendets fader, vilken, försakande världen, valde till bostad en gravhåla i en av Egyptens öknar, under bön och fasta, i kamp mot tusen frestelser, eftersträvande ett rent liv och ett saligt slut.

Jag heter San Antonio, jag kom från Rotterdam –
i vind och vilda vågor red jag högt på havet fram.
Rorskettingar och nakterhus de skeno liksom guld,
och helig min Antonius han var oss alla huld.

Så god gallionsbild har jag att på haven bära fram,
och snidad fromt av bönens män i glada Rotterdam.
Antonius visar mig min väg och leder all min lek,
med händer knäppta som till bön – Antonius av ek.

Hans kåpa lyser gul och grå med rep mot vridet knä,
min heliga Antonius, Antonius av trä.
Hans radband skramlar mot min stäv, hans blick är hård av år,
men fastän frestad, liksom förr, mot himmelen han går.

Min mesanmast har djupa ärr, bom, jib tog havet allt,
ty brassa fullt i dödsens storm skepparen befallt.
Åkallan hörde jag på däck och bön på isig back –
jag låg så hårt för sjön att skyn fick se Antonius klack.

Antonius du rider än så stolt som aldrig förr,
på redlöst vrak du lät dem be på knä vid dödens dörr.
En styrman har jag aldrig mer som hör min sista bön –
han höll mitt roder avgrundsfast och följde det i sjön.

O, jungfru dig förbarma i hög och stjärnlös natt,
när onda andar tog min bom och revet tog min ratt.

Min heliga Antonius och jag fått uppbrottsbud,
vi gå till sängs med tång till strå och väckas blott av Gud.

Så gunga vi i tysta djup och vaggas ljuvt till ro,
i gröna luckor, murkna klys nu tång och musslor bo.
I mörka sjöar vrides vilt, Antonius, ditt knä –
med längtans blick mot grånad sky – Antonius av trä.

Och djupt inunder remnat däck i ljuslöst ökenhav, där
ligga vita mina män i ro i sandig grav.
Och ömt jag min Antonius för till bädd på bankars grus –
hans brustna ögon tigga skyn om stjärnor och om ljus.

DRYCKESVISA MED KRISTIDSREFRÄNG.

Melodi: Sjömans-chantyn 'Å, hej, å hå, Viktoria!'

Nu låtom oss sjunga om hänsvunna tider,
när skåpen stod fulla av mat och av dryck,
när björkved låg sprucken och torr i vart lider,
och ingen fått ana allt kristidens tryck.
När metervis medvurst i magen man krängde,
med smör för var munsbit och Lyckholm och mat,
och brunrökta skinkan på bodväggen hängde
och sken som en måne på bukiga fat.
Men hurra och bravo! Viktoria!
Och hurra för öl utan malt!
Nu sjungom om simpel cikoria
och livsmedelsnämndernas palt!

Nu minnoms när ångande gryngröten pöste,
och sötmjölken rann som en Kanaans sjö,
när morsan var freda ur ärtgrytan öste,
och sockret på plättarna lyste som snö.

Vi minnas med tårar buljongen med ägg i –
o sällhet, o matparadis utan namn!
Och vienerkorvar och mörkbrun Carnegie,
havana-segarer och ljusgul Karlshamn!
    Men hurra och bravo! Viktoria!
    Vi le som vi kunna det bäst,
    Det här blev en annan historia,
    en svångrems-åtdragningens fäst.

Nu minnoms väl garvlädershudarnas dagar,
och sullädrets trygga, välsignade tid.
Nu skommis för sju kronor sulorna lagar,
och gnäller att intet han tjänar därvid.
Nu strumplösa utan galoscher på skorna
vi larva som kattor i rägnvär kring stan,
där drivor sig höga och väldiga torna –
ty gummit har knyckts av gulaschen och fan.

Nu minnoms hur härliga lampor oss lyste,
med äkta Astral uti aftonens frid,
då icke vi huttrande sutto och fryste,
och mumlade böner om ettrig karbid.
Nu gatorna ligga här mörka och våta
och gillas blott skarpt utav älskande par,
ej mera vi husnumren ens kunde läsa,
och längta till solens och sommarens dar.
    Men hurra och bravo! Viktoria!
    Vårt av kristiden grånade hår
    står vitt kring vår skult som en gloria,
    och lyser oss varthän vi går!

EN SKÖN SÅNG OM POTATIS.

Så bittert kall sveper nordanvinden
kring stuguknuten i sena kväll.
Vid kålrotsfatet, så blek om kinden
du blickar längtande mot himlens pell.
Den bleka hyn och de tärda dragen
om hunger tala, om tobaksnöd,
på ingen krog kan du mer bli 'dragen'
om intet kort finns för krögarns bröd.

Säg, broder, minns du, när potatistunnan
stod rund och pösig i källaren?
I kalla vintern du ej behövde
på rötter gnaga – men snälla vän!
Lyft upp din hjässa, var icke vreder,
vi vilja hoppfullt mot himlen se!
Kanske potatis kan trilla neder
från kvällens stjärnor, som mot dig le.

När icke jordbären fylla magen,
och ingen halva gör kvällen glad,
vad glädje har du av sill vid Skagen,
och djupa Rännan och Ridderstad?
Snart levnadstrött i din grav du tumle
kringsvept av billigt – tyll-surrogat!
Med näsan svartbränd av unken humle
och magen full av förfalskad mat!

Men då, min broder, när döden knäckt dig
och tyst du går till de frommas ort,
när kroppen kallnat och ängeln käckt dig
bär in igenom den pärleport,
när du på harpan med nypan pillar
så stolt med krona och palm och stav,
en stor potatis från himlen trillar
och dimper ner i din kristids-grav!

ANDENS SKARA.

År efter år Göteborg har vuxit och frodats som andra
städer, där hugnad och ro och köpmäns nitiska iver,
arbetsslavarnas här och läroverkshästarnas hjärnor
samarbetat för lycka och välstånd. Stundom dock agget
stigit och stormat mot himlen och ställt till kravaller,
städse till slut dock följda av lugnet och friden.
Dock för själarnas vård, på det fanen icke må nypa
borgarnas skinn och dem till rödaste helvetet draga
har det blott föga sörjts. Lokaler och bostäder saknats för
rationell och med själarnas nöd förenlig och lämplig
skolning och tuktning och vilda lustarnas stävjan.
Därför i thy och emedan, o manhaftige Nordblom,
kyrkorådets bas och de hungrande andarnas talman,
varmt förordade du huset vid Sprängkullsgatan,
detta fast Ebeling, mannen som något av byggnad
begriper,
mälda besiktigat och till bedrövelse därvid befunnits,
att emot lagen stridande kök lära finnas på vinden,
och att om Israels herdar där skola bli boende,
de vid behov må på gården nedgå att lätta lekamen,
ty något WC finns icke i huset att tillgå och nyttja.
Allt detta ger jag dock djävulen i och talar
hellre om dig, o Storm, som mycket i världen bevittnat,
sist dock bevittnade namn som Elisabet tvungits att
skriva.
Ty det är hon som icke vill maka sin magra lekamen –
kanske ej mager hon är, men smällfet? Vad vet jag om
detta?
Föga jag umgås med kvinnor. Vad var det jag nu skulle
säja?
Jo, att Elisabet icke vill offra sin kammar åt Herran.
Allt detta känna vi till. Låt oss nu ägna en rad åt
kyrkorådets agent och Skandias stolta förhoppning
samt åt den skrivelseläsande Trana, behaglig att skåda.

Vare ock nämnd desslikes kyrkherren Filip den tredje,
prisad ock vare Larsén, den i Ido gruvligt förfarne!
Alla i strid om var Herran skall bo och hans tjänare alla.
Och när jag nämnt era namn och ägnat min sång eder
skara,
tar jag farväl och lyfter min hatt och går min färde.
Ty vad rör mig själarnas vård? Själv jag sköter min egen,
ansatt hårt dock stundom av kristidens djävlar.
Tagen ej illa upp att jag brådskande skaldar, och illa!
Klassisk är icke min vers, surrogat, hexameter endast.
Spaltutrymmet är knappt. Redaktören vredgas och väser
över att redan på er jag så många rader ha slösat.

KVÄDE.

till hela Sveriges hjälte nr: 2,
generalkonsul Axel A:son Johnson,
det argentinska vetets skeppare och svenska
arbetarklassens skyddshelgon.

Förlåt en ynglings stapplande terziner!
Du bliver väl ej vred, ehur jag skäller?
Fast Daniel och Metcalfe göra sura miner
när du din gråblå flotta vänligt ställer
till vetefrakt där salta vinden viner?

Att folkets brödsäd var på väg att sina
du såg med köpmäns oförställda iver
och tänkte: här ska fraktas, död och pina!
Ty Kristus sade: 'Salig den där giver – –'
utan att ta igen med vänstra näven
vad högra givit – och mojänger, fina
att frakta med jag har, fast Daniel, räven
och hela svenska folket våldsamt grina.

O, Johnson, över all din storhet gläd dig!
Ditt namn flög före vetet över haven
och det i själva himlen blir anammat
blott för så vitt – på allvar nu bered dig! –
blott för så vitt ifrån ditt hjärta stammat
det ordet att blott arbetsbröders lycka
var villkor nummer ett, som du för
tjänsten satte.

Men var det blott en skaldisk liten lyra
som där bröt fram att sirligt dikten smycka,
var det blott d e t, din hjärna fyndigt smälte,
då syns det mig blott likasom du tänkte:
när havets skum kring vårat vete stänkte
att du var bliven h e l a S v e r i g e s h j ä l t e!

KÅLROTENS FÖRMANINGSTAL.

till undertecknad en söndag
med anledning av att han som fordom Israels barn
högljutt knorrat framför kålrotsfatet.

Detta är kålrotens tal, den från daners örike komna,
förrn hon försvann i min buk, hon talade visdomens ord:
'Banna mig ej för min smak, min fulhet och vattenhalten,
vet att jag kom som av Herran och damp på ditt tomma
bord.

Ty när på Sundet jag färdats och hamnat hos dig i din
koja,
och du med slidkniven fjällat mitt sega och spruckna
skinn,
innan i grytan jag går, skuren i hundrade bitar,
tala jag vill och lätta, broder ditt sorgtyngda sinn!

Håna mig icke, jag arma, danska och knöliga kålrot,
icke ens på din faders tid såg man en sådan frukt.
Hälsa mig välkommen dock och fråga, nej fråga mig
intet,
varför jag har en bondaktig, föga poetisk lukt!

Vet, att den doft som jag bringar är icke av kummin,
persilja
icke som kostelig krydda från Dekans och Maltabars
kust.
Tjock och grov är min hud och lös gör jag människans
mage.
Vad än i världen jag är, någon härlighet är jag ej just.

Men jag kom som en räddande, fast något kullrig ängel,
annars dig svälten anammat, ändat
din jordetid.
Därför banna mig icke, men håll din kniv i beredskap,
skala mig tacksamt och noga och ät mig i djupaste frid!'

KVÄDE.

till livsmedelsnämnden i undertecknads socken men ock
till varje nämnd som icke tillhandahållit den sättpotatis,
som är nödvändig för att det skall vara någon
mening med att 'fatta spadarna'.

Säg mig du marskalla vind som dansar på spe över
fälten,
säg mig, du livsmedelsnämnd, i ditt dammiga
sockenkontor,
säg mig icke din släkt, dina spädbarn och hemliga
synder,
säg mig blott ärligt och öppet vart sättpotatisen for.

Tänk om du, mån om din mage, girigt har knaprat den i
dig,
tänk, om du stekt den i flott och ätit mitt fläskben därtill?
Men vad vet jag, som är dödlig – har du förskingrat den:
tvi dig!
Misstänksamt orolig blir jag av rötter och halvrutten sill.

Grymma livsmedelsnämnd: ro fram med min
stackars potatis.
Fåran står myllig och gapar i åkern och väntar ge frukt!
Sol och luft och min möda har jorden med glädje fått
gratis,
väntar blott på kommissionens potatis och
himmelens fukt.

Herre i höjden, giv rägn att den ökas med hast, ransonen,
giv oss varma och fuktiga nätter och ymnigt
svällande korn!
Håll ett öga dock var dag på den där kommissionen,
att den ej styres på avväg av herrn med klövar och horn!

KVÄDE.

tillägnat all den bränslekommissionens ved
som fattigdomens tid till spott och spe blivit kvarliggande
på alla lastkajer och upplagsplatser i riket.

Säg, varför ligger du här i solen och torkar och spricker?
Allt medan vitsippor lysa och vårsolen vänligen ler.
Ingen vill stjäla dig nu, här ligger du bara i vägen,
kådig och flisig och torr – ingen nänns se åt dig mer.
Förr vart du såld för en hederlig, rundligt tilltagen
penning,
och när så bonden satt in sina skatter på banken, han
kvad:

'Nu om jag blott passar på kan jag själv sälja ved till
behovet.
Mycket lång näsa då får kommissionen uti Stockholms
stad'.
Emellertid gick vintern. Där rullade vilt miljoner
kronor i bondens skrin. Medan spannmål gömdes å
vinden
fraktades du, o ved, ut till broar och kajer.
Bonden körde dig dit och trettio kronor om dagen
tjänade han på det skräp kommissionen gallrat ur
skogen.
Och nu ligger du här i höga kasar och stavrom,
torkar och ramlar mitt i min väg och doftar av kåda,
så att när jag och min fästmö ha bråttom till
järnvägsstationen
hindrar du vår trafik. Allt medan bonden som sålt dig
skrattar och slår på sitt förskinn och vägrar att sälja
potatis.
Ve dig, o hånfulla barrved, trefalt och tiefalt tvi dig!
Men blir du kvar i min väg till höstens stormar gå hårda,
då skall jag stjäla dig bort, i mörka och regniga nätter,
glatt skall min skottkärra gnissla, lastad med dig, o ved.

KVÄDE.

till högtärade herr läroverksadjunkten
Nils Wapner i Skara, vilken fått upp ögonen för general
Booths rödgardister och icke har annat att taga
sig till än att utrota Frälsningsarmén.

Gläd dig, Skara, du är icke minst bland blomstrande
städer!
Hell dig, ädle herr Nils och välsignas din kamp mot de
röda!

Stor är du bliven i truten när fram du som krigare träder,
måtte det unnas dig leva till dess du har lärt dig att
blöda.
Ja, du är bra. Men hur ser du egentligen ut? Får man
veta om du har bockskägg och blommiga kinder ell'
kanske en måne?
Hör du till Faraos pinade magra eller de skinande feta
nöten?
Och är du av ålderdom svag, ell' av födslen fåne?

Säg vad är esoterisk kabbalistik hos de mest merkantila?
(Hav fördrag med min vers. Jag kostar ej på dig så
många!)
Störes det äktsvenska sinnet till andakt och ro och vila
endast hos e n adjunkt i din hemstad eller hos många?

Stackars Nils Wapner! Hur gammal, min vän, kan du
vara,
som till ett sådant värv dig beger fast du har
verksamhet annan?
Ack, är du bara en vattning och vresig adjunkt ifrån
Skara?
Icke den fattiga munken – av skuldkänsla brännhet
om pannan!
Akta dig då att ej vårskarpen tar dig och du dig förkyler!
Skaffa dig lakrits i tid och lägg ylle närmast magen!
Tusende fattiga bröder och systrar på hem och asyler
gapa väl käften ur led åt Skara på yttersta dagen!

KVÄDE.

till redaktören och poeten Torsten Fogelqvist
i Afton-Tidningen.

Si, dagarna gå och dagarna gå,
och åren tar oss poeter också,
och ställer oss bundna i nyttiga bås,
och hänger för själen små skräckkällarlås.

Nu vattnas kameler vid Kaons strand
och fjärran, fjärran är Ariels land!
På vaxtavlan skrev du – nu fäktar du vred
på vägen som drar till förtappelsen ned.

Gå iskall i striden, lik Sandels i frid,
och se på ditt fickur och bida din tid!
Var knivig och klok och i illfund stark:
klå Engberg, men hugg ej för jävligt åt Marx!

Nån gång efter inpass och stötar och färs
skriv ock någon blåvingad, enstaka värs!
Du har väl i prässhetsens hönshus ändå
nån högre pinne att gala på?

Att agnarna bränna, grip kraftigt din kvast,
och ränsa din loge med gamman och hast,
och tänk ej, likt mig, mitt i dagens besvär:
O satan, prend pitié de ma longue misère!

KVÄDE.

till den svenske diversehandlaren
Noaksson och hans bröder
och ämbetsbröder i allt Sverges land.

Stor och stursk har du blivit bakom din disk, den höga,
ingenting mer än salt och ovett har du åt kunden mer,
och att krusa dig och din dräng lönar numera föga,
bara allt värre blir du, mer surt du på människan ser.

Säg, var kom du ifrån, Noaksson med humöret,
du som vrålar ditt nej åt var blygsam fråga om mat?
Annorlunda du var förrän det blev ont om smöret,
nöden som gjort oss mjuka, har gjort dig morsk och
kavat.

Icke jag räkna dig vill ibland förtryckarnas skara,
högfärdig dock du har blivit, det säger och står jag för,
sträv har din stämma blivit när du nödd skall förklara
att både med och utan smörkort fås intet smör.

Säg mig, har du gjort goda affärer, har du satt
pängar på banken?
Tänker du låta pojken studera till doktor eller till präst?
Sparkad i ändan av kristidsturen tror du väl snart för
fanken
att en monark du kan bli på salt och surkål och jäst.

KVÄDE.

till historiefilosofen och filosofiske historikern
hr Arthur Engberg i riksdagen, utgörande författarens
filosofiska trosbekännelse.

Ursäkta att jag stör oss så här mellan kaffet och maten,
klockan är bara åtta, vi hinner prata en del!
Ack, den realiserade friheten är ju staten,
tänk om vi skulle citera Genberg och Hegel en del?

Tar jag V a r a t och detta 'av tanken jagas till I n t e t',
då har jag vunnit vad Hegel kallar F ö r g å s.
Tar jag F ö r g å s och detta av tanken 'jagas till V a r a t',
så har jag V a r d a n d e t hittat – av barn kan sådant
förstås.

Tar jag så en kålrot och delar den med mig åt andra,
nöjd för min del med maskros- och sågspånssnus.
Ljuvt är att så emot höjderna fastän oförstådd vandra,
sättande själv kring mitt änne en krans av kärlekens ljus.

Följer jag U p p k o m m e t s gång en realitet jag vinner,
följer jag – hm! – F ö r g å s e t s gång en negation jag har.
Den, som sådant begriper, han nyckeln till Hegel finner,
närd av filosofi-surrogat han där till himmelen far.

KVÄDE.

diktat och sjunget på farstubron en sval kväll
av hemmansägare Efraim Kalson u p a.

Väl mager havren blir i år
och frosten vit kring åkern går.

Förstörd min sista kaffestrut –
och kriget, det tar aldrig slut.

Snart stundar kanske domens dag
då trög och lömhörd svarar jag
för all den säd jag listigt gömt
och all deklaration, jag glömt.

Nu är jag riker, må ni tro:
ett tusen fem för varje ko,
två tusen tretti för en stut –
för kriget, det tar aldrig slut.

För gris och kalv och sköna ägg
och spannmål bakom grånad vägg
ej mer vi bönder skällas ut –
för kriget, det tar aldrig slut.

Nog är väl torkan jäkligt svår,
och värre varje dag som går,
jag ser dem magras, kvinna, man,
men fronten, han är likadan.

Och bondtjyv hette vi förr, förstås,
av dem som sen har tiggt av oss.
Nu hungern lärt dem veta hut,
och kriget, det tar aldrig slut.

Det är slut på socker, sill och palt,
och slut på sirap, öl och malt
för dem – vi bönder har som förut,
och kriget det tar aldrig slut.

Min käring gnäller natt och dag,
fast vi har mat av alla slag,
för kaffe har vi ej ändå –
och kriget bara håller på.

Nu kryper folk för oss – och ber
och får och går och vill ha mer:
Men bara kriget väl tar slut,
då får vi skällning som förut.

Nu sitter vi som kungar här,
och säljer här och smugglar där,
och grånas, åldras, bäst vi kan
och fronten han är likadan.

EN MORGONDRÖM.

(Fritt efter vem som hälst)

Jag sov och jag drömde om tobakens land,
där en gudom planterat med givmild hand
cigarillos som växte som morötters like
i matjord av snus i ett pipoljerike.
Där vart, fram på kvällen i en rökig ängd,
monopoltobaksdjävulen hängd och sprängd,
där ock under jättetobaksträn
vi andades luft som var stark och frän
och av Kuba-Habana-D'Espagnola var mängd.

Men jag vaknade upp. Vi skaldar jag mer?
Min dag mot förgängelsen fort stupar ner.
Min pipa har slocknat, förtorkat mitt snus,
min sista cigarr blivit aska och grus.
Med glansiga ögon och värkande tänder
jag sitter och vrider matt mina händer.
Vad fröjd är med kaffe? Vad glädje med mat,
när tobak är sällsynt som satan – kamrat,
kom med mig och lägg dig som jag i ide
tills fram emot nästa månad vi skride!

LIKPREDIKAN.

vid tjärbrännar Hackras kista i Finnmarken
en blåsig majmorgon

'Det förefaller underligt att ingen av de unga
poeterna mäkta hålla sig inom kulturens
råmärken. De behöva nödvändigt ett Klondyke.'
(UR EN NUTIDA BOKRECENSION.)

Här vilar du med ett sista smil, gamle tjärbrännar
Hackra, på bår!
Ditt liv var väl mest en långsam höst, du slutade
när det blev vår.
Du sover ej mer i din koja av jord, du vilar din
linkande fot.
Sen du grånat i svett och lagt upp till tork din sista
torrvedsrot.
Innan fyra bönder bär ut din kropp över rosor och
vindfällt ris,
må Klockar-Karl-Samuel sjunga skönt vid din kista
om paradis.

Dina barn kring världen som spritade dun ha blåsts
av ödets fläkt!
Du levat ensamt och heligt och dog som ett barn i
Harja täkt.

Ack, utan att rädas du somnat, så brun som den
tjära du bränt,
Sen det sista av oförståendets sting och all levernets
plåga du känt.
Du vart tvättad av Bastu-Amanda och svept på en
nertagen port,
och du doftar i döden av kådigt trä – du ruttnar nog
inte så fort.

Det var inte det jag tänkte på – du vart läsare, har jag
hört,
Sen din ungdom och mandom och mera till du i
villande synd förstört.
Och Andens och offrandets väg du gick, åt din släkt
till spott och spe,
Sen du lärt att tvärs genom människors kött i ett
saligt fjärran se.
Din högtidsdräkt var ditt sotiga skinn och beckig din
botgörarskrud.
Men skrattet, ämnat åt Hackra i bön, var närmast
ett skratt åt Gud.

O, Hackra, om din dom med dig själv blivit hörd
bakom klostrets mur,
Där krossad av synd du ditt radband kysst – då
kanske det kallats kultur?
O, Hackra, jag vill vid din sida i tändande
majmorgon stå
Och detta vill jag predika, förr'n det bågnande locket
läggs på:

*Att sparsamt de håvor av klokhet och vett äro strödda kring
jordens ring*
Och att sålunda Herran dem delat och gett att en del har
fått ingenting.
Och en del har fått mer av Guds heliga eld, fast usla,
föraktade, små,
Fått nåd att dolda för världen på profeternas vägar gå –

När en lärd man rusig fallit på knä, det sägs att ett
under skett,
Och samma kamp, o Hackra, hos dig vart skylld på ditt
ringa vett.
Men tack, farväl, må man mylla dig djupt och din
sömn bli tung och hård,

Må majvindens svalka stå full och ljum över
gravarnas liljegård.
Och sjöng jag ditt hjärtas saga skulle ingen i byn
förstå –
Vi kanske stå upp på en stjärna igen och sjunga
klarare då.

EN VÅRVISA.

Kom, sol, som en gud över åker och slog,
lys hjärtan som längta till ljus!
Blås, vind, och fall rägn i den spirande skog,
väx, gräs, över viddernas grus!

Väx, spirande säd, i den mörka mull,
skjut ax och gulna till bröd!
Av hunger och jämmer all världen är full,
som, sommar, att frälsa från nöd!

Kom, sommar, med bröd, tiofalt, om du vill,
nu blive din räddande gärd.
Dig sol, dig jord, vi bedja till,
och till plogar i stället för svärd.

EN SOMMARPSALM I SKÖRDETID.

Skin, sol, med makt och, himmel, giv gott mod
åt dina barn som hungrat hårt, åt folk och fä!
Lys, gamla jord, av fallen frukt, bliv såsom ung fast
dränkt i blod!
Blås, sommarvind, en solig fläkt kring gård och äppelträ!

Nu är en ljuv, behaglig tid, fast mitt i dödens år,
när svärd och liar gå i kapp till tveggehanda skörd.
Det blåser väl till sist en vind som bär på livets vår,
det stiger väl ur hopen upp en bön som bliver hörd.

Jag gläds, trots allt, åt solens tid, åt jordens
skördeskrud,
jag, ringa stoft, i vördnad vill min väg mot döden gå.
Jag ropar ej och beder ej, och trotsar ej min gud,
men böjer mig för Livets lag, stum som ett åkerns strå.

Och därför tack! du stora Liv, i lust, i smärtans nöd.
Stor tack för att du gav och tog, men mest för sol och
bröd!

JAG ÄR...

Jag är ett djur och en vinter har jag sovit
så stilla som en stock, som en klump av järn,
och mitt hjärta slog i dvala så sakta
som vågorna i Himmelmora tjärn.
Hur min vila kändes eggande mot våren,
om solen sina strålar i klyftgapen tömt,
om jag brottades med stelhet, om jag ristade mitt huvud,
om jag fnyst mot solen, har jag glömt.
Jag vill stanna här i solen, jag vill dansa och ryta,
jag vill dricka som vatten allt dalarnas ljus,
och bada där vårgröna isflakar flyta
och rulla och skrubba mig mot gnisslande grus
och rista mina tänder i stammarnas bark –
jag skall böka under tuvor och rötter
och fnysa mot halvtinad mark!

Jag är en man, jag har förfört en liten kvinna
en skymningskväll i blomdoft och sus –

det är ljuvligt att retas upp och brinna
när hela våren är ett eggande rus.
Hur hon kämpade mot yran, hur hon skälvde,
hur de majnätter sövt oss som har gått;
det är kvar som ett bleknande minne,
det är ärr efter sår som jag har fått.
Ty jag var fattig och hemlös och ensam
och min glädje åt min kvinna var så stor,
att jag glädes att jag redan då ej visste
att min kärlek blev begråten av en mor.

Jag är en moder och mitt barn har jag vaggat
till sömns medan kvällen fallit på,
och mitt hjärta är ensamt och längtar
att för någon som är starkare få slå.
Hur jag kämpade mot döden när han svek mig,
hur jag hånades och visades med skam,
hur jag kvävdes av att bära ut i ljuset
mitt barn som var min synd och min glädje
och hur jag darrade när sanningen kom fram!
Jag vill gråta här i mörkret, jag vill vrida mina händer,
jag vill döda oss och vila ifrån allt,
jag vill bränna mina minnen till bränder
och glömma hur jag bannades och svalt.

SÅNG TILL VÅREN.

När våren kom med sunnanvind och solen sken i sky,
då slog mitt hjärta underbart och rymden var som ny.
Ur fordoms gångna, mörka natt en morgonglädje kom,
när kärrets högflod sköljde upp de frusna fjolårsblom.

Jag tackar dig, du vårens ljus, för glädjen som du gav.
Blodsmörk och sträng står rymden än kring
slaktingsplats och grav!

Dock är som sände du, o sol, en hälsning fjärran från,
som mitt i vapenbraket gick en nyfödd himlens son.

En himlens son, en fadrens son med ljust och lockigt hår,
du väcker upp bland blad och ben allt gräset där du går.
Du kommer ej från hämndens gud till dyster räfst och
dom,
men sår kring hatets gravar ut ditt rikes vita blom.

Bland järn som vittrar, kors som rests, du vandrar stilla
hän,
och låter saven svälla högt i blodbestänkta trän.
Där tusen kroppar bli till jord i jättegravens ro
du låter vallmons vilda frön i fröjd mot solen gro.

Jag frågar ej vad hända kan mitt i ditt glada ljus,
om än skall gå från rymd till rymd ett dödens vingesus.
Blir det till döds, jag tackar dig dock för ditt ljus ändå,
mitt i mitt hjärta skiner du, fast döden själv ser på.

Av vilda dalar har du gjort till sist ett söderland,
där solen ler och vågen slår mot fruktbelastad strand.
Gå före dit och lys oss väg, o ljus, bland lövens gull, och
spela, vind, på harpan din min gård av toner full!

Kanhända når ditt ögas glans långt bortom tidens led,
där dödas skuggor röra sig i liljeängars fred!
Kanhända kan du läka sår, dem ingen hela vet, du
ögonljus från det som var och är i evighet.

Nu sjunger jag: kom, ljumma regn, kring blad och nya
barr,
och spela milt på säv och strå din dämpade gitarr!
Mitt hjärtas port jag låtit upp för vind som dansar in,
i vår, i vår, o bröder, är all världens glädje min!

VÅRVISA
TILL MIN BRODER JOAKIM
I GÖTEBORG.

Se tidigt om våren skall din skapare du prisa,
broder Joakim, och taga ditt glas uti din hand.
Och spela på psalmodikon och sjunga denna visa,
när som aftonstormen dansar över skärgård och land.

Du skall sitta på din farstukvist och glömma all din möda,
du skall säga: tack, o Herre, för vårens glada dar!
Upp bittert slutna läppar, låt lovsånger flöda,
när salta vinden dånar dig en stormande fanfar!

Du skall drömma att du mönstrar på ett skepp som
skall fara,
som skall fara till Hongkong och Kanton och Bombay!
Där mörka unga mör för ditt gamla hjärta lägga snara,
där blomsters vita drivor under gummiträden le.

En enda fläkt av trötthet till ditt hjärta ej tränge,
hell, liv och land och kärlek och det dansande hav!
En gång får du lägga dig att sova ganska länge,
och leendet du log skall hålla vakt kring din grav.

CANADAMINNEN.

I

Så hastigt de vandra mot land utan sol
mina dagars rasslande ked!
Likt vrakade garn ifrån vävarens stol
mot jorden de tyst falla ned.

En del for bort med den varmaste vind,
där rödskinnen smögo vid natthöljda sjöar,
där rådjuret sårat mot stränderna sam,
och röken steg högt ifrån dimvita öar,
där sköldpaddan trummade, myskråttan sam och en
gud gick i böljor och snår
med nybyggarrök och med rödaste körsbär och
skogsängens blom i sitt hår.

II

Jag hörde ett litet barns gråt i skogen,
i skogen som kantar Step Prairi där de stora
bokarna susa.
Det smög en snyftning mellan ekarna och almarna,
och jag skalv mitt i det hett strömmande solskenet
och ropade men fick blott till svar mitt eget hemlösa
hjärtas bultningar,
och förnam att det var min längtan som ville
spränga sina band.

III

Men långt bortom sockerlönn och rodnande vildvin
där redes det till dans i den mörknande dal.
Och tjärblossen lysa på mognande meloner
och månen tändes stilla i Gud faders stora sal.

Där dansa starka ljusa män och skyggaste halvblod,
där stampa gråa rubbers till Karl Swanssons klaver.
Och kärleksfyllda vindar gå från sjön vid To Toma
med orsapolskans toner till M'Garvis homestead ner.

Vid fårfållan sitter jag med mörk liten ungmö
mitt hjärta var en konungs och slog som aldrig förr

Och hade jag, jag gåve diamanter och rubiner
att säll såsom då få träda inom kärlekens dörr.

IV

Grå ekorren hoppar och spillkråkan ropar,
i bäverdammen spegla sig balsam och hassel.
Och morgon kommer stigande kring nybyggets
backar,
det viskar oss till avsked bland popplarnas prassel.

Jag skall lämna min älskade och fara över havet,
över havet upp till kådfyllda finnmarkens vår,
fast jag vet att mitt hjärta för länge är begravet
i dalen vid To Toma bland törnblomsvita snår.

V

Ljuvt var att stilla älska där inunder trädens hägn
och väckas av fasaners lock och sommarljumma regn,
som föllo tyst och svalkande på heta blad och barr,
på jättegräsen spelande sin dämpade gitarr.
Men ljuvast var den älskade, som jag ej hittar mer –
vi ses väl åter, jungfruland – farväl, farväl med er!
Den solrosgula slättens land mot horisontens bryn och
hundra änder plaskande i lagunerna och dyn!
Jag kan ej, kan ej stanna mer, en annan kärlek tar
mig fatt och hjärtat sällsamt emot isens länder drar.
Great Northern, konungsväg av stål på tusen öde mil,
giv mig en häst av Pittsburghs järn, snabb som ett
rödskinns pil.
Och för mig fort till havets strand, dit tunga skeppen gå,
och vända åter österut, på hemväg, vid och blå!